新潮文庫

残るは食欲

阿川佐和子著

新潮社版

9666

残るは食欲＊目次

残るは食欲

一丁の至福

お腹《なか》が空《す》いているときと満腹のときと、はたしてどちらがシアワセだろうか、という問題について、友達と話し合ったことがある。友達は、そりゃいっぱいのときに決まっているわよと断言した。でも私は違うと思う。

もちろんお腹が空いて、空いて空いて、たまらなく空いているにもかかわらず、目の前になにも食べるものがなかったら、不幸に決まっている。しかし、お腹がじゅうぶんに空っぽな状態で食卓につき、さあ、これからおいしいものを食べるぞと期待に胃袋を膨らませる瞬間の喜びは、お腹を叩《たた》いて、ああ、もう入らない！　と叫ぶときよりずっとシアワセだと、私は、食事の一口目を味わうたび、あるいは「いただきます」と手を合わせるたびに、断固として、そう思う。

だからできればかすかな空腹感を残したまま食事を終わらせたいと常々思っているのだけれど、そこが私のさもしいところでありまして、目の前にあるごちそうを、残してはなるまいというケチ精神と、次の料理はどんな味だろうという卑《いや》しい好奇心ゆえに、つい箸《はし》が延び、あげく食べ過ぎて、いつも真のシアワセを逃してしまうのである。

先日はしかし、我ながら自制心が働いた。夜の九時すぎに帰宅したのだが、晩ご飯を食べそびれたままだった。当然、お腹が空いている。でも、九時以降に食べることが身体《からだ》に悪いと知っていた。晩ご飯を抜くと、翌朝の胃袋がいかに爽快《そうかい》であるかも、幾度か経験済みである。だからここはじっと我慢をしてそのまま床につくか。いえいえ、それはかわいそう。我慢などせず、明日は明日の節食意欲の風が吹くと信じて、軽めの食事を摂《と》ってしまうか。思案のしどころだ。

思案しながらとりあえず冷蔵庫を開ける。すると、忘れていたものが目に入った。豆腐があるではないの。

二日前、たまたま通りかかった渋谷の商店街で小さな豆腐屋を見つけたのである。思えば長らく個人商店でお豆腐を買っていない。つい足が店先に引き寄せられた。たちまち薄暗い店の奥から豆腐屋の奥さんが現れた。

「はい、何にしましょう」

「えー……」と私は考えた。「木綿……、いや、絹、いやいや、木綿……、あー、絹？」

そして心を決めた。

「木綿と絹と一丁ずつ、ください」

「はーい。絹と木綿と一丁ずつね」

奥さんの声はこよなく明るい。私はうれしくなった。大型店舗中心の流通時代において、こんな小さな豆腐屋が元気に生き残っている。奥さんが、そのピンク色に輝く清潔そうな手を大きなアルミの水槽に突っ込んで、豆腐をやさしく持ち上げ、ビニールパックに収めるのをじっと見ながら私は小声で言ってみた。

「このお店、閉めないでくださいね、ずっと」

言ってから、余計なおせっかいだったような気がして恥ずかしくなった。しかし奥さんは明るい顔を一瞬たりとも曇らせることなく、フフフと笑い、まるでこれから我が子を学校に出す母親のような慣れた手つきで豆腐の支度をすませると、

「今どき、手作りの豆腐屋なんて珍しいでしょ。でも手作りがおいしいんだよね、やっぱり。はい、百八十五円ねえ」

こよなくのどかな、私を安心させる声で応《こた》えてくれた。

そんな貴重な豆腐を食べそびれていた。早くしないと。はやる気持とうれしさで心

が躍る。まずは木綿豆腐を取り出して小鍋《こなべ》に移す。出し昆布を一片。上からそっと水を差す。なんたってこんな夜は湯豆腐でしょう。湯豆腐なら、さして胃の負担にはなるまい。

くつくつ煮え立つ小鍋をそのままテーブルに運び、豆腐すくいで小鉢に盛る。うえから醤油《しょうゆ》と愛用の柚子《ゆず》ポン酢をたっぷりかけて、さあ、いただきます。おお、なんとしっかり味の濃い、おいしい豆腐でしょう。アチチ。一口食べて興奮し、続いてすくって、も一度すくって半分、あっというまに一丁たいらげた。

他にはなにも食べるものがない。今夜はこれだけ。豆腐一丁。そうと決めたからなのか、空腹ゆえか、こんなおいしい湯豆腐には久しくめぐり逢《あ》っていなかったと思うほどに感動した。

さてと。終わってしまった。私は椅子《いす》から立ち上がり、ふたたび冷蔵庫を開ける。まだ絹が一丁、残っている。これも食べてしまおうか。いやいや、これは明日の朝ご飯に回すこととしよう。今夜は我慢だ。我慢と豪語するほどのことではなく、楽しみをもう少し引き延ばしたかっただけである。今はじっくりと、木綿豆腐の後味に浸っていたい。

きっと今までだって何万回もおいしい豆腐に出会ったはずである。しかし、豆腐がどれほどおいしくても、他にもたくさんおいしい料理が並んでいたせいで、舌に残る豆腐の衝撃が長くは持続しなかった。一品集中。こういう味の楽しみ方が、あるものだと私は再発見した。

豆腐だけの晩ご飯。その粋《いき》な楽しみを知り、思えばたしかに豆腐は豆腐屋の手作りにかぎる。思い込みの信念が胃袋に烙印《らくいん》され、私はここ最近、街を通り過ぎながら、目ではつい小さな豆腐屋を探している。もっとも豆腐だけの晩ご飯は、それっきり実行していない。満腹への悪魔の誘《いざな》いには、めったに打ち勝つことができないのである。

未練ケーキ

先日、銀座についての原稿を書いているうちに、ふと思い出した。そういえば銀座に昔、気に入りのケーキ屋さんがあったなあと。それは電通通りの角に建ち、銀座の店にしては比較的夜遅くまで開いていた。酔客の需要も高かったのだろう。実際、私がその店のケーキの味を知ったのも、酔っ払った紳士からの贈り物だった。

もはや二十年以上前のことである。今ならいざ知らず、当時、あんなにおいしいホワイトチョコレートのケーキは世の中に見当たらなかった。カンナで削ったような白いチョコレートが全体を覆《おお》い、切ると、なかはしっとりとしたスポンジとホワイトチョコの細かい層になっている。たくさんのチョコレートを使っているわりに、甘すぎず、上品で、味わい深い。よし、次は自分で買いに行こうと思い立った。

ある日、店の扉をくぐると、そのケーキは切り売りをしておらず、三百六十度のホールでしか買うことができませんと言われる。さすがに銀座のケーキ屋さんだけあって格調が高い。ウッと息を飲む。ここで引き下がるか、思い切って大枚はたくか。なにせそのケーキ、ホールでたしか数千円はしたと記憶する。それでも奮発し、何度か買って帰った覚えがないわけではないけれど、アルバイトで身をつないでいた二十代の私には、そうそう気楽に買えるケーキでなかったことだけは確かである。

銀座のその店の前を通るたびに立ち止まった。ガラス越しに店内のショーウインドを覗《のぞ》き、あるぞあるぞと確認する。買おうかしら。でも高いねえ。とりあえず店に入ってみようか。まあ、今日はやめておこう。店の前で何度迷ったことだろう。そしていつのまにか、そのケーキ屋さんは姿を消していた。

なんという名の店かは覚えていないが、あのホワイトチョコレートケーキの味は忘れられない。くだんの原稿にそんなことを記したところ、その後、担当編集嬢からファックスが届いた。

「それはもしや『エルドール』という店ではなかったでしょうか。今はその店で働いていた人たちも全国に散らばって、どこかで同じケーキを作っているかもしれませんが、消息は不明です」

そうだった。たしかに『エルドール』という名前だった。判明したとたん、ますます恋しくなった。

未練の味は、とかく増幅する。二度と食べられないと思うからこそ、なおさらおいしかったような気がしてくる。今ここで当時と同じ味が再現されたとしても、同じ感動が蘇《よみがえ》るかどうかはわからない。頭で記憶している味と実物には誤差が生じるものらしい。そうわかっていても、未練は未練だ。

その手の未練ケーキは私の記憶のなかにいくつか存在する。四谷の喫茶店のモンブランは、栗《くり》のいっぱい詰まったショートケーキの上に、ホンモノの雪山に見立てたメレンゲがこんもりのっていて、味も姿もよろしかった。六本木の防衛庁跡地近くにあったユダヤ料理屋『コーシャ』のカテージチーズケーキは、中学高校時代の友達と、今でもしつこく語り合う思い出の味だ。その並び、『ユーラシアンデリカテッセン』の濃厚なレアチーズケーキと、お菓子ではないけれど、珍しいビーツのサラダ。あとは広尾のケーキ屋さんで生まれて初めて知ったシブースト。いずれの店も今はない。

自分でケーキを作るのに凝っていた時代もある。母が定期購読していた「ミセス」という婦人誌に、ホームメイドケーキの連載ページがあった。一ページ丸ごと使って掲載された写真もゴージャスで、その姿に惹《ひ》かれて幾度となく挑戦したものだ。

あるときそのページに「オレンジケーキ」という、オレンジをふんだんに使ったケーキが載った。なんとおいしそうなこと。

私は燃えた。いつもは簡単に作ることのできそうなものばかりを選ぶ私だったが、このときばかりは面倒を厭《いと》わなかった。食べてみたい。その執念がエネルギーへと変わった。

細かい作り方はもはや忘れてしまったが、たいそう、ことのほか、とんでもなく、手間のかかるケーキだったことはよく覚えている。オレンジの皮をすり下ろす。ジューシーな実の甘皮をむき、丁寧にほぐしてソースを煮込む。美しくむくことのできたオレンジは飾り用として取っておく。卵白を泡立てる。オレンジの風味を加えたスポンジケーキを焼く。オレンジソースの入ったバタークリームを作る。焼き上がったスポンジケーキを横数段にスライスし、あいだにバタークリームを塗り込む。重ねて上からまた薄く、左官屋さんにでもなった気分でバタークリームを上手に塗りつける。

半日以上を費やし、体力を使い果たし、台所を散らかし放題散らかして、奮闘に奮闘を重ねた末に、ようようそのケーキは出来上がった。

奮闘の甲斐《かい》があり、家族の試食会においてもすこぶる好評だった。おそらく私のケーキ創作歴のなかで、もっとも高い評価を受けた一点だったろう。

「これはうまい。上出来だ。おい、サワコ。こりゃまた作ってくれ」

めったに娘を誉《ほ》めない父も素直に喜んでくれたので、うれしかった。が、その後、どんなに家族におだてられても、作ることはなかった。いくらなんでも手間がかかりすぎる。あの味を思い出すと、同時にあのヘトヘト疲労感が蘇る。私のかわりに、誰か作ってくれないかしら。死ぬまでにもう一度、食べてみたい。

魅惑のかけご飯

暖かい季節になったので古い友人であるトニーさんを訪ねると、再会を祝してハヤシライスをごちそうしてくれることになった。

トニーさんは軽井沢に住んでいる。もともとは東京の人で、若い頃は広告代理店に勤めるバリバリの都会人だったが、いつのまにか軽井沢に移住して、今は旧道の脇《わき》の小さな店で自分の描いた絵を売りながらユルユルウリウリ、のどかに暮らしている。

一度、私の小説のモデルになってもらったことがあり、拙著を送って以来のお目もじだったので、「どうだった？」と、露骨に感想を聞くのもはばかられたが、なんとなく本の話題に触れてみると、

「ああ、読んだけどね。僕はあんなに女々しくない」

と一蹴《いっしゅう》されてしまった。どうやらトニーさんのダンディズムに反してしまったらしい。でも、「ハヤシライスをおごる」と言ったとき、「今日、ポスターが三枚売れたか

ら、これでごちそうできるぞ」と千円札を三枚握ってヒヒヒと得意そうに笑ったところなんかは、私の書いたトニーさんそっくりだったので可笑《おか》しかった。まるで私のトニーさんを真似《まね》したみたいだ。

「とにかくね、五十年ぶりに再会した味なんだよ、その店のハヤシライス。ふらりと入って何気なく注文して食べてみたら、子どもの頃に好きだったレストランのハヤシライスとおんなじ味だったの」

トニーさん曰《いわ》く、ハヤシライスはデミグラスソースにまみれたタマネギが、とろける寸前の原型をしっかり留めていなければおいしくないとのこと。今、世の中に出回っているハヤシライスはオシャレすぎて、素朴な味ではなくなったと憤慨なさる。そんな講釈を受けたのちにポスター一枚分のハヤシライスを食してみれば、なるほどタマネギの存在感が大事であるのだなあと納得し、久しぶりにハヤシライスというものをじっくり味わった。

私にとってハヤシライスとの出会いはたしか小学生の頃だ。ゴルフ好きの伯父に連れられてクラブハウスで食べたときだと記憶する。カレーライスにするかハヤシライスにするかと伯父に聞かれ、見知らぬハヤシライスなるものを選ぶと、シチューのようではあるが、お肉が薄くて食べやすい。カレーのようではあるが辛くなくてむしろ甘い。これはなんとご飯に合うソースだろうかと感動した覚えがある。そしてその後長い間、ハヤシライスはゴルフ場の特別メニューなのだと思い込んでいた。

数年前、丸の内に移転した丸善書店へサイン会のため赴いたところ、控え室で「ハヤシライスは実は当社の創業者である早矢仕有的《はやしゆうてき》が考案したもので、ここでは元祖ハヤシライスを再現し、喫茶コーナーで出しております」と店長さんに説明され、あ、そうだったの？　と驚いたら、さっそく元祖がお皿にのって運ばれてきた。元祖の味は、私の舌の元祖よりさらに甘くて濃厚だったが、元祖と言われるとたちまち、そうかそうか、これが明治の人々を驚愕《きょうがく》させた味なのかと、しみじみした気持になった。

しかし、こういう話は何事においても謎《なぞ》に秘められているようで、他説には、西洋から伝えられた「ハッシュドビーフ」が名前も味も日本風にアレンジされて「ハヤシライス」が誕生したとある。まあしかし、丸善の早矢仕さんがイギリスかどこかでハッシュドビーフをごちそうになり、「これはうまい。是非、日本でも作ってみよっと」と、帰国してから我流で、細切れ牛肉とタマネギ、トマトなどの野菜類を煮込み、ウースターソースやお酒や各種調味料で味をつけ、「海外ではパンとともに食べていたが、日本人はご飯と一緒のほうが喜ぶのではないか」と思ってご飯にのせて客に出してみたところ、おいしいとの評判が立ち、「これは是非、早矢仕さんの名前をつけて売り出しましょうよ」ってなことになったのではないかしら。まったくの想像ではありますがね。

日本人の誰もが、ご飯に汁物のたぐいをかけて食べるのが好きかどうか知らないけれど、私は断固として好きである。ソースなんて大仰なものでなくとも、牛肉をニンニクとバターで炒《いた》めたあとに残った肉汁をかけるだけでじゅうぶん幸せになれる。中国人がおかずを何でもご飯茶碗《ぢゃわん》にのせて食べたい気持はよくわかり、私も中華料理を食べるとき、白いご飯が手元にあれば、取り皿はなくてもいいと思うことが多い。スープや味噌汁《みそしる》をご飯にかけて食べるのも好きで、しかしこれは場所を選ばないと「下品です！」と叱《しか》られかねないので基本的には人目につかない場所か自宅でしか実行しないよう心がけている。

「かけご飯」で思い出した。昔、母がときどき作ってくれるメニューに「レモンライス」なるものがあった。これはデミグラスソースではなくホワイトソースを作ってそこへレモンをたっぷり絞り込むという料理だ。鶏肉《とりにく》と、マッシュルームやタマネギも入っていたように思うが、印象としては「酸《す》っぱいホワイトソース」という感じだった。それを白いご飯にかけて食す。どこで覚えた料理か知らないが、子どもの頃、母が「今夜は何を作ろうかしら」と悩んでいるときに、私がよく「レモンライスは？」

と提案し、採用されるとうれしかったものである。ちなみに私はソースをかけるときのご飯は、お冷やがいい。カレーもハヤシライスもレモンライスも、ソースは熱々、しかしご飯は一晩寝かせて冷め切った冷やご飯のほうが、炊《た》き立てご飯よりずっと味わい深くなると、ひそかに信じている。

そのまんま茗荷《みょうが》

八百屋さんの店先に立派な茗荷が並ぶ季節となりました。と、書いてみたけれど、本当のところ、茗荷は一年中、野菜売り場に並んでいるような気がする。昔と違って野菜の季節はわかりにくくなっている。でもたしかに本来の茗荷の旬《しゅん》は夏なのだそうだ。正確には夏茗荷と秋茗荷の二種があり、秋もののほうが香りが高いという説もある。この季節、パックに入った茗荷の姿を目にすると、確たる目的がなくともつい手が伸びて、買ってしまう癖がある。

なぜか。

茗荷を食べると、口のなかがすっきり涼しくなりそうだから。

茗荷を薬味にして、素麺《そうめん》を食べたい気分になるから。

茗荷を他の料理との合間に食べると食欲が増進されるから。

茗荷は、花のつぼみなんだそうな。知らなかった。まさか根ではないだろうが、新芽か葉っぱか、そんなたぐいのものかと思っていた。インターネットで調べると、コロンとした形状の一般的な茗荷は「花茗荷」と呼ばれ、地下茎から出る花穂のことだそうだ。つまり、花茗荷は茎から生まれて、さあ、これから花を咲かせましょうと地上に顔を出したとたん、人間に摘《つ》まれ、その生命を閉じるのだ。

茗荷はつぼみだったか……と、しみじみした気持になっているうちに、子どもの頃、ＮＨＫで放送していた「チロリン村とクルミの木」に「つぼみのリップちゃん」という赤ちゃんキャラクターがいたことを思い出した。あの「リップちゃん」はチューリップのつぼみだった。チューリップのつぼみも思えば茗荷と同じようなかたちをしているが、食用にはならないのだろうか。バラの花びらはときどきフランス料理に出てくるし、菊の花も酢の物にしたりする。茗荷以外で食用つぼみはないのかしらねと、我が秘書アヤヤに尋ねてみると、

「前にイタリア料理で花ズッキーニのフライって食べましたよね、ご一緒に」

あら、そうだったかしら。

「あと、ブロッコリーもカリフラワーも、あれはつぼみなんじゃないですか」

思いつくと、有能秘書の口から次々に出てくる。菜の花も食べますよだって。しかし、いずれも茗荷ほど哀れを誘わない。茗荷は親である茎から生まれたとたんに、パ

チンと鋏《はさみ》で家族と分断されて一人っきりになる。かわいそう。でも、お前に代わる香り高き野菜はないのだから堪忍《かんにん》してほしい。

茗荷の香りは独特だ。口に入れたとたん、苦みと同時に、ツーンと鼻の奥に抜ける鋭い刺激がある。このツーンがたまらない。薬味系の野菜はなんでも好きだが、紫蘇《しそ》や生姜《しょうが》より、茗荷のほうが複雑な香りがするように思われる。茗荷が嫌いと言われたら、そうだろうなと容易に納得できるほど、思えば変な味だ。この魅力を外国人に説明するのは難しい。

実際、茗荷は日本独特のものらしい。たしかに中国料理にもイタリア料理にも、あれほど薬味を豊富に使う韓国やタイやベトナム料理にも登場したという話を聞いたことがない。

茗荷の原産地はインドや中国だが、野菜として栽培し始めたのは日本人らしい。誰がそんなことを始めたのであろう。何でも最初に試した人は偉い。咲いてみれば茗荷の花は美しく、鷺草《さぎそう》か、小さなランのようにも見えるのだから、その美しさだけに着目し、つぼみをかじってみようなどとアホなことを思いつく人が一人もいなかったら、今頃、日本料理の味わいは、ずいぶん違ったものになっていたことだろう。

さて茗荷をどのようにして食べるのかというと、たいした話はない。鰹節《かつおぶし》と混ぜてご飯にのせるのもいいが、梅干しの果肉と和《あ》えるのも好きだ。冷や奴《やっこ》にはのせるが、湯豆腐にはのせない。茗荷の天ぷらもおいしいが、自分で揚げることは稀《まれ》である。茗荷寿司《ずし》なるものを食べたことがある。茗荷を湯通しし、甘酢に浸し、酢飯にのせて握る。なんということのない一品だが、さっぱりとした味で、おいしかった。

しかし基本的に茗荷は生のまま、小さく刻んで器に盛って、食卓に並べるだけでじゅうぶんだ。それをアツアツのご飯のうえにまぶしてチョロッと醬油《しょうゆ》をかけて食べてもおいしいし、お味噌汁《みそしる》に散らすこともある。シャキッとした歯触りと、ツーンとくる刺激と苦み。この味わいの失われない食べ方がいちばんいい。茗荷よ、お前はそのままでいなさい。着飾ることなく化粧もせず、お湯にも浸《つ》からないで、そのまま出てきてちょうだいな。

となれば、素麵だろう。素麵は薬味が命だ。私は通常、キュウリとハムを細切りにして、ときに長ネギを薄い小口切りにする。薄焼き玉子を作るのは面倒なので、フライパンに油を敷き、スクランブルドエッグを作る要領で玉子を一気に焼き、焼き上がったらまな板の上でざくざく細かく切り分けるという手抜き玉子である。

薬味は、そのときによるが、もちろん茗荷は欠かせない。あとは紫蘇、生姜、そしてスダチ酢。あれもこれもと欲を張り、具と薬味を揃《そろ》えすぎて、素麵の白い姿が見えなくなることもある。せっかく茗荷の味を楽しもうと思っても、あらゆる薬味が混じり合い、どれが茗荷かわからなくなってしまう。これではいけませんね。次回は茗荷だけで素麵をいただいてみよう。しかしこんなことを書いていると、無性に素麵が食べたくなってくる。

ギュイーン料理

最近、我が家では、突如としてフードプロセッサーが活躍を再開している。購入したのは数年前で、買った当初は物珍しく、いろいろ作って試してみたが、いつのまにか登場の機会は減っていた。一度棚の奥にしまってしまうと出すのが億劫《おっくう》になり、そのうち存在すら記憶から薄れていく。

突如、リバイバルした理由は、この雑誌、つまりクロワッサンに「コリアンダーチヤツネ」というものが掲載されていたからだ。我が秘書アヤヤが新しく届いたクロワッサンのページをめくりながら、「あ、これ、おいしそう」と、いとも楽し気な声を発したので、どれどれと覗《のぞ》いてみれば、なるほど、ガラスの器に盛られた緑色のソースの写真が目に入る。

「この、川津幸子さんの料理って、いつもすごくおいしそうなんですよね。私、この人の料理本、何冊か持ってます」

へえ。あまた料理研究家の出現するこのグルメ時代に、どこでそういう情報を得、選別するのだろう。感心し、「作ってみたの？」と聞くと、

「私、料理本を買うのは早いんです。作るまでには時間がかかるんですよ」

言わせていただければ、私は情報整理能力には欠けるが、こと料理に関して実行力はあるほうだと自負している。実行力というより、いわば食欲に対する脳の指令系統が単純直結型なのだろう。料理本を見て、あるいは料理番組を途中からでも目にするや、即、作りたくなる。即、作りたいからレシピを落ち着いてメモしたり記憶に残したりはできない。だいたいを把握し、改めて買い物へ走らずにすむ範囲内で、とにかく今、作ってしまおうと思い立つ。

私はすぐさま冷蔵庫の野菜室をチェックした。数日前に買った香菜《シャンツァイ》がややくたびれた様子で横たわっている。タマネギと生姜《しょうが》とレモンもあるぞ。ココナッツミルクは、粉末の使いかけが残っていたはずだ。青唐辛子はないけれど、タバスコがある。白ワイン酢？　食料棚を漁《あさ》ると数年前の到来物のシェリービネガーなるシロモノが出てきた。これで代用しよう。

さて、材料が揃《そろ》ったところで、それらを混ぜるミキサーといえば、持っていたではないですか。長らく場所を取るばかりで邪魔者扱いしていた往年の恋人プロセッサー

君よ。今こそ活躍のときが来たのだよ。出ておいで。

それは一瞬のできごとであった。プロセッサーの容器にすべての材料をぶち込み（分量などは極めて適当に）、電源を入れ、スイッチを押すと、ギューイーンで、はい、出来上がり。蓋《ふた》を開け、舐《な》めてみる。

「うーん、いいかもぉ！」

私の歓喜の声にアヤヤがデスクから飛んできて、ひと舐め。

「うーん、いけるかもぉ！ ……でも、だいぶ白っぽいですね。写真のはもうちょっと緑色してるけど……」

お答えします。それは、香菜の量が足りなかったのです。ひと束の半分以上は使ったあとだったのである。それでも味に遜色《そんしょく》はない。感動的に胃袋を刺激して、なににでもつけてみたくなる魅力的なチャツネだ。残念ながら手元にカレーはないので、とりあえずパンをトーストし、上に塗ってみればこれがまたおいしい。続いてサーモンをソテーしてのせてみたところ、これもなかなかお洒落《しゃれ》な一品に仕上がった。

そんなことがきっかけで、このところプロセッサー君をさらに活用しようという気になっている。只今《ただいま》、人気上昇中。

次にプロセッサーを使って作ってみたのはフレッシュトマトジュースである。これは昔、ザルツブルクに旅した折、小さなホテルの朝食に出てきたトマトジュースの名残だ。ドロンとした赤いジュースの味があまりにも爽《さわ》やかで、「これは何のジュースですか？」と愛らしきサービス係の少女に尋ねると、「トマト」と応《こた》えてはにかんだ。そのときの味が忘れられず、なるほど缶詰ではなく生のトマトに砂糖を少々加えてミキサーにかければいいのだと、帰国してから思い出すたびときおり作っていた。しばらくご無沙汰《ぶさた》していたが、こんなにおいしくて簡単なジュースは毎日作るべきだったと後悔する。トマトジュースを飲みながら再び野菜室を開けて、しばし眺める。冷蔵庫の残り野菜をすべてギュイーンしたくなってきた。

しなびたジャガイモが一つ。今にも芽を吹いてやるぞとばかりに隅っこでひがんでいる。そうかそうか、ごめんね、忘れておったわい。張りを失いかけたジャガイモを拾い上げ、よく洗い、芽をつまみ、半分に切って皮ごと茹《ゆ》でる。茹でながら考える。そうだ、ジャガイモのスープを作ろう。ジャガイモの茹で鍋《なべ》に、タマネギを粗く切って入れる。そしてジャガイモがじゅうぶんに柔らかく茹で上がったところで、皮をむき、プロセッサーに放り込む。茹で上がったタマネギも放り込む。上から塩胡椒《こしょう》、茹で汁少々、牛乳を加えてスイッチオン。ギュイーン。コリアンダーチャツネよりは少し長めにギュイーン。さて、味と濃度を調整し、もったり重すぎるようであれば、さらに牛乳と、これまた冷蔵庫に残っていた生クリームを加え、もう一度ギュイーン。調子に乗ってギュイーンしすぎると、生地がなめらかにはなるが、デンプン質が糊《のり》のように粘りを出すので味が落ちる。ギュイーンの案配が難しい。私は二度目にまんまと失敗した。しかしうまくできたときは、冷蔵庫でギンギンに冷やして召し上がれ。上等なレストランに行った気分になりますよ。

評価味

早朝から出かける用事ができ、しかもそんな早い時間になったのはひとえに私の都合だったので、同行諸氏へのお詫《わ》びの印にお弁当を作ることにした。

そう思い立ったのは前日の夜である。買い物へ行く暇はなく、有り物ですませようと決める。まず、米を研ぐ。白米三合に大匙《さじ》三杯の「穀物三昧《ざんまい》」を加える。「穀物三味」とは、玄米、黒米、赤米、ハトムギ、アワ、ヒエ、キビなど、全部で十三種の雑穀ブレンドだ。身体《からだ》によさそうなうえ、少量加えてお米を炊《た》くと、鮮度の失《う》せたお米もふっくらモチモチに炊き上がっておいしい。

研ぎ上がったお米を睨《にら》みながら私は迷う。翌朝、起きてから炊くか、今、炊いてしまうか。炊き立てを握るほうがおいしいに決まっているが、万一、寝坊したときのことを考えると、前夜に炊いておいたほうが安全だ。そう決断して火を入れる。

続いて冷蔵庫を開ける。梅干しはある。ちりめんじゃこもある。鮭《さけ》がないなあ。冷凍庫を開ける。カチンカチンに凍ったタラコが出てきた。おお、タラコちゃん、お久しぶり。いつから冷凍庫に入れておいたかは忘れたが、凍っていたから大丈夫だろう。おかずは、その日の昼に作った水菜とお揚げの炒《いた》め煮の残り。あとはない。作る時間と気力も、ない。ま、一品で我慢してもらおう。

こうして私は翌朝四時に起床して、まだかすかに温《ぬく》もりの残るご飯を猛スピードで握り、水菜の炒め煮を密閉容器に入れて蓋《ふた》をする。やれ、完成。

「えっ、お弁当作ってきてくれたんですか？」

現場に着くと、皆、驚きの声をあげてくださった。

「さっそく食べましょうよ」

予想以上に喜ばれ、少々不安になる。

「ご飯にちょっとお焦《こ》げが混ざっちゃって」

私はいつもご飯を文化鍋《なべ》で炊く。そのためときどき鍋の底を焦がすことがある。

「お焦げ？　僕、お焦げ大好きです！」

なんと素直でイイ奴《やつ》なのだ。うれしくなって密閉容器の蓋を開けるや、あちこちから手が伸びてきた。私は若い学生の世話をする寮母の気持になり、

「さあさ、どんどん召し上がってちょうだいな」

持ってきた割り箸《ばし》を配り、しばし皆の反応を窺《うかが》う。と、「イイ奴」の隣のオトコが、

「かたい……」

低く呟《つぶや》いた。そしてもう一人が、

「なんでこんなに赤いんですか、このご飯」

訝《いぶか》しげな顔をした。これはね、雑穀を混ぜたからでね、と解説しつつ自分も一つかじりついてみれば、たしかに、かたい。思いの外、かたい。すると最初に「かたい」と呟いたオトコが二つ目のおにぎりの、なるべくお焦げのなさそうなものを厳選している。その姿を横目にしながら自分のおにぎりを咀嚼《そしゃく》するうち、気がついた。このタラコ、おいしくない。長く冷凍にしていたせいか、味が落ちている。そう思ったが、自ら「おいしくないね」とは言い出せない。

「いやあ、おいしいですよお」

イイ奴の言葉が響き渡る。しかしその隣で水菜の煮物を口に入れ、「薄い……」と唸《うな》ったオトコが一人いた。

情けない。せっかく早起きをして作ったのに。しかし、「かたい」も「薄い」も秘《ひそ》かな「タラコ、まずい」も、事実であった。

どうも私はこのところ、料理の腕が落ちた気がしてならない。数ヶ月前、テレビの

取材でハワイを訪れ、料理を作らされた。作ったのはタイ風カレーである。カレーなら簡単だし、誰もが喜んでくれるだろう。当日は他人様《ひとさま》の家の台所に立ち、カメラが回っていることも忘れるほど料理に専念した。材料は揃《そろ》っている。不安はない。あるとすれば、使い慣れない台所を使うことと、分量がふだんよりはるかに多いということぐらいだ。一時間あまり奮闘を重ね、出来上がったカレーを器に盛ってテーブルに並べる。

「ではこれから試食をしていただきます」

台所の持ち主である日系二世のご婦人に召し上がっていただこうという趣向である。ご婦人はスプーンを握り、ゆっくりとカレーをすくい、口に入れた。そのとたん、

「辛い！」

それでもなんとか二口目。と、今度は激しく咳《せ》き込んで、真っ赤な顔で悲しそうにおっしゃった。

「痛いです、これ。舌がどこに行ったかわからない」

どれどれと、スタッフも味見をしに集まる。

「ヒイー。こりゃ、食べられないっすよ」

どうやら私は辛みの分量を間違えたらしい。自覚はなかったが、大多数がそう言う

のだから、そうらしい。以来、私は、「料理下手なオンナ」と呼ばれている。

こんなはずではなかった。今まで料理は得意だという、まあまあの自負があった。しかし考えてみれば長らく他人に手料理を披露していない。自分で作り、自分で食べることばかりだ。

料理の腕は、自己満足を繰り返していても磨かれない。私は改めて主婦の偉大さを知った。プロの料理人の苦悩を想《おも》った。毎日、他人の評価を前にして作り続けるあの人々のバイタリティーと才能は、どこから生まれるのであろう。

私は最近、人を家に招かないことにしている。「ごちそうして」なんて請《こ》われても、安易に承諾しない。もはや花嫁修業の必要もない今となっては、自分の料理は自分で食べて、自分で誉《ほ》める。一人で生きていくんだ、フン。

一人評

前回、私は自分の料理の腕に自信がなくなったと書いたが、早くもここに撤回宣言をする。先日、久しぶりにローストビーフを焼いたら、これがまことにおいしかった。やっぱり私は料理のセンスがあるんじゃないかと思い直した。焼きたてのローストビーフを包丁で薄く切り、口に入れたとたんに叫んだ。

「私は天才かっ」

赤い肉汁のしたたり落ちるややレアな焼き具合といい、外側に振った塩の加減といい、はたまた肉に刺したニンニクの香りと、肉と一緒に焼いたジャガイモやタマネギやニンジンやベイリーフなどの野菜の香りが染《し》み込んだ複雑かつ深い味わいといい……。ローストビーフは素材がよければ誰だっておいしく焼けるとおっしゃる向きもあろうけれど、それなりの緻密《ちみつ》な技が伴わなければ、どれほど肉が上等でも上手に出来ない。ローストビーフに関しては、母から伝授されたこの味が、どんなレストランでいただくローストビーフよりおいしいと、焼くたびに思う。

ただ残念なことに、この焼きたての感動を分かち合う私以外の口がそこにはなかった。つまり、証人がいなかったのである。

そこで翌日の昼食どき、我が秘書嬢アヤヤに、この格別上出来なローストビーフを少しだけ分け与えてみた。薄めに切り（ローストビーフは厚く切るより焼肉程度の薄さに切って、醬油《しょうゆ》をかけて食べるのが私の年来の好みである）、秘書嬢のお弁当箱の片隅にさりげなくのせ、感想を聞いた。

「どうじゃ？」

すかさず秘書アヤヤは目を丸くした。

「おいしいですう」

料理人はニンマリ微笑《ほほえ》む。一日経《た》って、冷えてもこんなにおいしいのだから、焼きたてを食べてもらいたかったなあなんて、心にもないことを口走る。するとさらに秘書嬢がのたまわった。

「ああ、焼きたても食べたかったけれど、でも一日寝かして味の染み込んだこの味もまた格別ですよ」

うれしいことを言ってくれるではないか。持つべきものは忠実なるオーブンと秘書である。

　しかし……と、ここで私は首をひねる。この秘書の意見は正当であろうか。なにしろアヤヤは私の部下である。私が給料を払っている身だ。とすれば、かならずしも本心を明かすとはかぎらない。本当はたいして感動していないのだけれど、「おいしくないですね」などと発言してボスの機嫌を損ねてはなるまい。ここは精一杯のお世辞を駆使して「おいしいっ」とニッコリ笑っておいたほうが身のためだ。そう思ったとしても不思議はない。

　私はじっとアヤヤの顔を覗《のぞ》く。

「なに見てるんですか」

「いや、本当においしかったのかなあって……」

「おいしいって申し上げたじゃないですか」

　なんだか疑わしい。が、しつこく問うのも潔《いさぎよ》くない。

　自分とて、アヤヤの立場に立ったことがないわけではない。たとえばお世話になっている方に招かれて、「どう？　けっこうおいしいでしょ、この店の料理」と問われたとき、「そうでもないですね」とはとても言えない。あるいは多人数で食事をし、誰もがおいしいと喜んでいるなかで自分だけが「おいしくない」と異を唱えれば、たちまちその場の雰囲気が壊れるにちがいない。だいたいまわりがあんまり「おいしいっ!」と興奮していると、本当のところ自分はどう思っているのか判断がつきにくくなる。そのときどきの立場をわきまえて率直な感想を述べるのは難しい。

その点、私の父は極めて正直な人間である。昔から母や私の作った料理の出来が良い場合は「うまい!」と素直に喜ぶが、おいしくないとたちまち機嫌が悪くなる。娘の私にはかろうじて多少の遠慮があるらしく、露骨に「まずい」とは言わないが、「ああ、ご苦労ご苦労、よく作ってくれた。明日はウマイものを食いに行こうな」

それはつまり、今、食べているものがまずいと言っているのと同じことなのに、本人は精一杯、気を遣っているつもりらしい。

父が「まずい」と思ったときは、顔と態度ですぐにわかる。まず無口になる。箸《はし》の動きが鈍る。そして、やけに愛想良く「さあさ、みんなで食べなさい。どんどん食べなさい」と家族に皿を無理やり回し始める。そんなときは「駄目だ」と悟ったほうがいい。

「顔はどうでもいい。味のわかる奴《やつ》と結婚しろ」

私が子どもの頃からの父の口癖である。そりゃ私とて食べることに興味のない人とは結婚したくないと思っていたけれど、あまり父にしつこく言われると、「食事だけが人生のすべてではない！」と反発したくなる。

「私はね、味にうるさい人と結婚したいの」

大学時代、そう発言した友達がいる。彼女自身、料理を作ることが好きだった。だから自分の作った料理に対して的確な意見を述べてくれる人がそばにいてほしかったのだろう。でも私は「冗談じゃない」と思った。四六時中、食べることばかり考えている父のようなオトコは御免被《ごめんこうむ》りたい。なにしろ朝ご飯を食べている最中に「今夜はなにを食うか？」と考えるような父である。そんな人ではなく、そこそこ食べることに興味があり、でも妻の作る料理に口うるさくない心優しいダーリンが望ましい。そう願って四半世紀。今や一人で作り一人で誉《ほ》め、一人で食べ尽くす。誰に気を遣うことなく、そして今夜も「私は天才かっ」と叫んでやるのである。意地でも。

情熱果物

「奄美《あまみ》大島から届いたパッションフルーツ、いる？」

というメールが近所に住む友達から届いた。

さっそく私は、

「台湾から届いたライチはいらんかえ？」

と返信し、たちまちブツブツ交換交渉が成立した。

各地から、季節の美味珍味をいただくのはこのうえなき喜びだが、一人暮らしの身の上ではとうてい消化し切れないかさのことが多い。食べられないとわかっているくせに、届いた直後はうれしくて、他人《ひと》に分けるのが惜しくなる。それが間違いのもと。当然のことながら、大事に少しずつ賞味しているうちにだんだんしょぼくれて、これは余りそうだと気づいたときは、もはや他人様に差し上げられない姿に成り果てている。腐ってはいないけれど味が落ちているとか、まだじゅうぶんにおいしいが、賞味期限は過ぎているとか……。だから最初からケチをせず、このシアワセを多くの人々と分かち合えばよかったのに。自分を叱《しか》っても、もう遅い。

葛藤《かっとう》を抱え続けてきた私に最近、朗報が訪れた。親しい友が近所に越してきたのである。しかも、どうやら友は私と同じ悩みを抱えているらしい。さらにうれしいことは、友のところに届く物品と、私のところに届く物品には絶妙なズレがある。彼女とのブツブツ交換関係が生まれて半年近く経《た》つが、今のところブツが重なったためしはない。

さっそく私は、まだ荷を開けてまもないライチをビニール袋いっぱいに詰め込んで友だちの家の門を叩《たた》いた。

「うわあ、生のライチなんて初めて見た」

友は満面に笑みをたたえてライチの袋を受け取ると、もう一方の手に持つ紙袋を差し出した。そこには恐竜のタマゴのごとき赤茶色をした果物が五つも入っている。

「うわあ、これがパッションフルーツなの？　珍しいもんだねえ」

ああ、美《うるわ》しきブツブツ交換。人間の交友関係の原点、交換経済の元祖ここにあり。

この、双方が二倍シアワセになったような気持はなんだろう。損した得したとか、安く手に入ったとか高くついたとか、そんな感情が一切吹き飛ぶ喜び。不思議な感覚だ。

さて、持ち帰ったパッションフルーツを袋から取り出して、まな板の上に置く。赤茶色のタマゴ型。表面はツルンとしていて毛もトゲもない。果物というより、巨大な乾燥プラムかピーカンナッツのようだ。

「二つに切って、キウイみたいにスプーンでなかをすくって食べてみて」

友達の教えにしたがって真ん中に包丁を入れる。さほど固くない。案外、あっさりパカッと切れ目が入り、二つに割れた。そして現れましたるは、桃太郎ではなくて、まるで魚の卵の大群だ。黄色く小さな果実の房が所狭しとひしめき合い、その半透明な房の一つ一つのなかに緑色の種が透けて見える。まさに、魚の赤ちゃんの目玉そのものだ。

外側が赤茶色。開ければ、黄色い果実と緑の種。なんというポップな色の組み合わせであろう。南国の神様の色彩感覚は驚くほど斬新《ざんしん》だ。

色に感心ばかりしていないで、味はどうなんだ、味はってね。これがまた驚きました。内側の白い甘皮にへばりついた黄色い果実をスプーンでこそぎ落とし、一さじ、口に入れた瞬間、私は目を閉じ、深呼吸をした。それはあたかも、南の島の豪華ホテルのバルコニーにて、爽《さわ》やかな海風を頬に受けながら、さざ波の音を耳に優雅な朝ご飯をのーんびり食べている気分である。いや、本当に、一瞬、プレイスリップと言うのでしょうか、自分の身体《からだ》が南国に飛んでいった感覚を覚えた。

つまりどういう味かと申しますと、甘くて酸《す》っぱくて、ドロリとしてプチプチして、口も喉《のど》も胃袋もスカッとしてモワッとするんですな。なんと表現したものか。前代未《み》聞《もん》の感動が訪れたとしか言いようがない。

パッションフルーツという果物の名前は以前から知っていた。おそらくパッションフルーツジュースなんてものを飲んだことはあると思う。シャーベットも食べたかもしれない。しかし積極的にさしたる魅力を感じたことはない。なぜか。名前があまり魅力的でないからだ。

パッションフルーツ。訳して情熱果物……と、長らく思い込んでいたのだが、実は違うんですってね。パッションフルーツのパッションは、「キリストの受難」を意味し、花のかたちが十字架にかけられたイエスキリストの姿に似ていることから、その名がつけられたのだそうである。

そうとわかったところで、どうもパッションフルーツという語感からは、おいしそうなイメージしか浮かばない。

バナナとかマンゴとかパパイヤなんて、いかにも南国の海辺、あるいはジャングルのご出身というトロピカルな香りが名前からにじみ出ているが、パッションフルーツと言われると、ご先祖はたしかにジャングルなのですが、ニューヨークに移り住んで三代目になります、って感じの都会的な雰囲気が漂う。

だからなのか、単に縁がなかっただけなのか。今まで誤解していて悪かったね、パッションちゃん。私はスプーンで果実をすくいながら、深く謝った。こんなに魅力的なフルーツだったと、なぜ今まで気づかなかったのだろう。これ以上、どうやっても果汁はすくい上げられないというほどスプーンで何度もこそげた末、私は、果実のなくなったパッションフルーツの中側を見つめる。白い甘皮に赤く細かい繊維の筋が浮き出ている。その様相は、まるで臓器の内側に張り付いた毛細血管のようだ。食べ終わっても妖気《ようき》を醸《かも》し出すパッションフルーツに、今年の夏は心も胃袋も奪われそうだ。

叱《しか》られバター

飲み屋さんに入ってお酒を注文し、何気なくおつまみのメニューを眺めていると、「薄焼き煎餅《せんべい》のバターサンド」という文字が目に入った。まあ、懐《なつ》かしや。すっかり忘れていたけれど、これは昔よく家で作ってお客様に供したおつまみである。簡単に作ることができるうえ、すこぶる好評。料理ができるまでの食前酒のお供に絶好のおつまみだった。材料はバターと薄焼き煎餅のみ。煎餅一枚にバターを塗り、もう一枚の煎餅を重ねればできあがりだ。バターはどこのものでもかまわないが、お煎餅のほうはなぜか、当時、渋谷の東横のれん街に出店していた入船堂《いりふねどう》の「薄焼き煎餅塩味」と決まっていた。母が決めたのか、このバターサンドを最初に教えてくださった方のご指定なのかは定かでないが、おかげで私は中学高校時代、「渋谷に行く」と口走るや、必ずと言っていいほどに、「だったら帰りに薄焼き煎餅買ってきて」と母に頼まれたものだ。

その後、入船堂は東横のれん街から撤退したらしく、我が家の煎餅バターサンドブームもいつのまにか消滅し、渋谷で薄焼き煎餅を買うことはなくなった。

母に言いつけられてバターサンドを作っていた頃は、たいてい急《せ》いていた。

「おい、なんか酒に合うつまみを出してくれ」

居間から父の声がする。台所にいる私と母はとりあえず「はーい」と返事をし、小声で囁《ささや》き合う。

「そんな丁寧に作らなくていいから」

「わかってるけど、バターが硬いんだもん」

やわらかすぎてはおいしくないのだが、冷蔵庫から出したばかりのバターは硬い。薄い煎餅のうえに均等に伸ばそうとすると、たちまち煎餅がバリッと割れる。割れたものをお客様にお出ししては失礼であろう。よってこれは没。そして私の口のなか。こうして不良品をどんどん私の胃袋に処分するため、完成品がなかなか増えない。だから母は私をせっつく。私は慌《あわ》てながらも、冷たいバターと塩味の効いた香ばしい煎餅が絡《から》み合う味をぞんぶんに楽しんだ。思えばあの頃は、バターを食べ過ぎると太るなんて、今より心配するべきふくよかな体型をしていたにもかかわらず、ほとんど気にしていなかった。

バターが好きだと自覚したのは、四、五歳の頃である。虎《とら》が前の虎のしっぽをくわえて木のまわりをぐるぐる走り回るうち、どんどん加速して、とうとう溶けてバターになりました。主人公のサンボはお父さんと一緒にそのバターをつぼに集めて家に持ち帰り、お母さんにバターのたっぷり入ったホットケーキをたくさん焼いてもらいました。この絵本は傑作だ。虎が溶けるとバターになるなんて、こんな夢のような話があるだろうか。そして私はハタとひらめいて、母にねだった。

「ねえ、バターのスープを作って」

バターが溶けたら液体になる。それをカップに入れればスープになる。濃厚な真っ黄色のスープはさぞやおいしいにちがいない。私の脳裏には、バケツに入った黄色いバターの絵が焼き付いていた。バターを溶かせばいいだけのこと。簡単じゃないか。それなのに母は、「そんなもの、できないわよ」とあっさり否定した。どうしてできないのか。私は長い間、合点がいかなかった。

もっともバターは溶ける寸前がおいしいと思うこともある。茹《ゆ》でたとうもろこしにバターをのせて、溶けて流れ出す直前を歯で食い止められたときのうれしいこと。口のなかに冷たいバターの固まりが残っていないとつまらない。だからとうもろこしを食べ始めると、バターの消費は急激な勢いとなる。

「そんなにたくさんバターをつけないの！」

叱られるたび、一生に一度、思う存分バターをつけてみたいと夢見たものだ。ところが誰にも叱られない歳《とし》になってみると不思議に自分自身で規制するようになる。人生はまことに不条理だ。

先日、和田誠さんにお会いして、「何がいちばん食べたいか」という話をしていたら、「僕ね、思う存分バターをつけてパンが食べたいなあ」。和田さんがいかにも切なそうにおっしゃった。和田さんの身体《からだ》を心配なさる奥様のレミさんが、家庭内ではパンにバターを塗ることを禁じているのだそうだ。

「だからね」と和田さんはここで声を潜め、

「結婚式なんかに出席すると、バターが必ずついてくるじゃない。もううれしくてね。どんどんパンにつけて食べちゃう！」

まるで母親に隠れていたずらを企《たくら》んでいる少年のような顔でニヤリと笑われた。そうですよねえ。バターを思う存分食べたいですよねえ。レミさんの心配もじゅうぶん理解できるけれど、和田さんの気持もよくわかる。

ここで思い出した。お酒のおつまみにレーズンバターというものが流行《はや》ったことがある。父がどこかのバーで食し、いたく気に入って「簡単だから作ってみろ」と母に申しつけたのだ。母は、見たことも食べたこともないシロモノを父の説明だけに頼って作り始めた。

まず、バターをボウルのなかで練り、じゅうぶんに柔らかくする。そこへ干しぶどうを混ぜてさらに練り、それを巻きずしのようにホイルで包んで冷凍庫に入れ、再び固める。自家製レーズンバターはかくして無事にできあがった。バター好きの私はたまらないお洒落《しゃれ》なお菓子が出現したような気がして、いくつもつまんで叱られた。叱られながら食べるものは格別においしい。

ぞっこん安ワイン

今、はまっているワインがある。

俳優の今井雅之さんに教えていただいた赤ワインで、一本千円。コンビニで買うとおっしゃる。

「コンビニってワイン、売ってるんですか?」

驚くと、

「売ってますよお。僕はたいていコンビニで千円のワインしか買いません。たまに贅《ぜい》沢《たく》して二千円。そこ止まりですね」

コンビニでワインを買うなんて、そんな発想自体がなかったので、ワインが棚に並んでいる光景を目にした覚えがない。しかし、長きにわたる今井さんの「コンビニ・千円ワイン定点観測」によると、

「けっこう種類がありますよ。いろいろ試したけど、今、いちばん気に入ってるのが、

これなんです」

その名はイエローテイル。生まれはオーストラリア。ラベルに黄色いカンガルーのイラストが描かれていて、いかにもオーストラリアのワインらしいデザインだ。グラスに注いで鼻を近づけると、

「まあ、甘い、かわいらしい香り」

そして口に含むと、

「あらま、しっかりしていておいしいわい」

ワインについて御託を並べられるほどの舌も教養も持ち合わせてはいないが、決して「うわ、安もん！」と眉《まゆ》をしかめたくなるような軽薄な味ではない。甘いだけでなく、酸味も重みもじゅうぶんにあり、時間が経《た》ってもたやすく味が落ちないから、これはなかなか優秀なワイン？　と思った。

なんたって千円だ。千円でこの味を楽しめるのなら文句は言えまい。以来、まさに味をしめ、頻繁にコンビニを覗《のぞ》くようにしている。

イエローテイルには、ぶどう品種によって種類がいくつかあり、いずれも千円だ。今井さんはカベルネソービニヨンがいちばんのお気に入りだそうだが、赤はその他にもメルローやシラーがある。さらにシャルドネの白ワインのイエローテイルを発見し、

ためしに一本買って飲んでみたところ、これもまた、きっちりと濃厚で、味わいも深い。

さらに軽井沢の「つるや」という大型スーパーマーケットでは、イエローテイルが赤も白も八百六十円だった。八百六十円だぞ！

私は頭がくらくらしてきた。今までワインについて何を知っていたのであろう。十万、二十万円のワインを飲みたいほどの野望はもとよりないけれど、いくらなんでも二千円以下のワインを飲もうなんて気は起こらなかった。

それには苦い思い出があるからだ。二十代の頃、若者に人気のビストロ風レストランで手頃な値段のワインを飲むと、そのあと必ずと言っていいほど気分が悪くなり、夜中にさんざん苦しめられた。ワインは怖い。悪酔いする。そう思いつつ、あるときもう少し値の張るワインを飲んだところ、ちっとも気分が悪くならなかったのである。

「なぜだろう」酒飲みの友達に問うと、

「安いワインは質が悪いから悪酔いするんだよ」

あっさり言われ、長らく安ワインを避けていた。その後、歳《とし》を重ねてワインの知識を少しずつ増やし、多少、経済的に余裕が出てくると、しだいに有名どころのワインを味わってみたくなる。いや、ワイン初心者だからこそブランド物になびくのかもしれない。ワインには興味がある。しかし、星の数ほどあるワインから自分の好みの銘柄をどうやって選んでいいかわからない。となれば、とりあえず「これはおいしい」と多くの人が太鼓判を押すものを選ぶことが妥当であろう。そして、そういったブランドワインの味を知ることにより、しだいに好みのワインがわかるようになるのだと教えられてきた。

どんなレストランへ行ってもワインを注文するとき、私は同じ台詞《せりふ》を吐く。

「香りがあってそこそこ重くて、値段はできるだけ手頃なものをお願いします」

「では……」とソムリエが勧めてくれるのは、たいていの場合、一万円前後の価格のものだ。それがたまに八千円台だったりすると、「あら、お安いわ」とほくそ笑む。そして自分は周辺のワイン好き仲間に比べれば、はるかに清貧な選び方をしていると自負していたのである。

しかし安ワインの道は思いの外、深かった。

ワインの階段を上っていくシアワセは、同時に後戻りできない不幸の始まりでもある。ワイン通のこの言葉を耳にして、深く納得したことがある。しかし今やそうは思わない。安いワインにどんな掘り出し物があるのか。高級ワインの味と価格の恐怖を知ればこそ味わえる、得難きシアワセではないか。

ワインに詳しい人々の話によれば、私が若い頃に悪酔いしていた安ワインと今の安ワインには、品質に格段の差があるとのこと。その要因は、流通の発達や製造業者の企業努力、科学技術の進歩などに加え、「気候が変化していること」と囁《ささや》く人もいる。いかなる事情によるものか実体はわからないけれど、とにかく私は変節した。レストランのワインリストを開いても、酒屋さんやコンビニでワインの棚に近づいても、近頃はもっぱら、チリやオーストラリアやニュージーランドやスペイン方面のワインに目がいってしまう。「おいくら?」と尋ね、「五千円です」なんて言われると「高っ」と思わず叫んでしまう。この金銭感覚の激変はなんざんしょ。ただしかし、ごちそうしてくださるという方がいらっしゃるのなら、話はぜんぜん別でございますのよ。

カツサンド観測

前回、千円ワインの定点観測をなさっている俳優の今井雅之さんのことを書いたが、考えてみると私にも食べ物の定点観測癖があることを思い出した。

最近もっとも観測度の高いのは「カツサンド」。これはもっぱらゴルフ場で実行している。ゴルフを始めて二年弱なので、さほど多くのデータを集めているわけではないが、それでもゴルフ場によって作り方に違いのあることがわかってきた。

そもそもなぜゴルフ場でカツサンドを食べるか。勝負に勝つためではない。まだ真剣勝負に挑むほどの技量を身につけていないので、とりあえず空振りせず、スカッとするショットをいくつか決めて、その日一日、気持よくラウンドできればじゅうぶんにシアワセである。

気持よくラウンドするための条件の一つが、満腹になりすぎないことだ。お腹《なか》が重いと、身体《からだ》の動きがにぶるような気がしてならない。そこで、午前中のハーフを終えてランチタイムにクラブハウスのレストランにて、「何にしようかな」と迷うとき、選ぶのがカツサンドとなる。ご飯ものはお腹にたまる。麺《めん》類かパンがいい。しかしラーメンはやや脂《あぶら》っこいし、かといって普通のサンドイッチでは物足りない。となると、「あ、カツサンドがある！」

こうしてカツサンドとコーヒーという組み合わせを選ぶようになった。

ゴルフ場によってはカツサンドがメニューに載っていないところもある。なんだ、ないのか。たちまちしょぼくれた気持になり、そういうときは素麺《そうめん》やスパゲッティにする。

今までもっともおいしいと思ったカツサンドは『相模湖カントリークラブ』のものであった。トーストしたパンの間にトンカツだけでなく、レタスと生のトマトとタマネギのスライスが入っている。水っぽいトマトが挟まれているのに、パリッとした食感は保たれていて、重厚なカツとみずみずしいトマトが同時に口のなかに入る瞬間の味のバランスが絶妙だ。こりゃおいしいや。驚いた勢いで、思わずこのクラブの会員になりたいと思ったくらいである。なれませんですが。

カツは厚手で上等だが、パンの間にカツしか入っていないところもある。そういうカツサンドは、三切れ目ぐらいで飽きてくる。やはりカツには野菜が添えられているほうが好ましい。

もっとも、トンカツの老舗《しにせ》『まい泉《せん》』のカツサンドは、野菜が挟まれていなくてもしっとりしていておいしい。パンがトーストされておらず、カツにソースがほどよく染《し》み込んでいるからかもしれない。ちょっとした工夫と組み合わせの妙で、味の印象は変わるものである。

カツと言えば、カツ丼《どん》がある。実は私は大学を卒業後初めて「世の中のカツ丼とは、こういうものであったのか」を知った。アルバイト先で店屋物のカツ丼を注文し、どんぶりの蓋《ふた》を開けて驚いた。カツ丼にタマネギが入っている。しかも玉子で綴《と》じてある。そして多少の甘味はあるが、基本は塩味だ。

私が子どもの頃から家で食べていたカツ丼は、まったく別種のものだった。だいたいカツ丼は前夜のおかずがトンカツのとき、お昼ご飯に作る一品である。冷めたトンカツを二ミリほどの薄さに切って、小さな片手鍋《なべ》に並べ、上から少量の水を注ぎ、火にかける。軽く煮立ってきたら、砂糖少々とケチャップを加え、最後にウースターソースか醤油《しょうゆ》を垂らして味を調整する。前の晩のキャベツの千切りも残っていたらたっぷり加え、少しだけ煮込む。それをご飯の上に載せるのが、ウチ流のカツ丼だった。トンカツの残りを見つけて、「よし、カツ丼、作ろうっと」と、私が作り始めるのはいつもこの「ケチャップ味カツ丼」と決まっている。

「へえ、変わってるんだねえ」

この話をすると誰もがそう反応する。「なんかおいしくなさそう」と言われたこともある。でも私は長らくそれをカツ丼と信じて育ってきた。そして世間のカツ丼の味を覚えてなお、私にとって食べたいカツ丼は、やっぱりケチャップ味である。

話をカツサンドに戻すと、先日、ゴルフ仲間の一人から貴重な情報を手に入れた。

「木更津ゴルフクラブのカツサンドはうまいぞ。カツと一緒にキャベツの千切りがいっぱい入っていてね。味付けはトンカツソース、パンはトーストしてあるんだ。これが、うまいんだ」

おいしそうな話は、おいしそうに話す人の話し方によるところが大きい。その方のおいしそうな顔を見ているだけで、無性に「キャベツいっぱいカツサンド」が食べたくなった。想像するに、そのカツサンドは食べながら千切りキャベツがパンの間からポロポロ落ちて食べにくいと思われる。でもきっと、ソースの適度に染み込んだパンとカツの間にシャキシャキとした生のキャベツが何度も顔を出して、そのシャキシャキ感がこよなくおいしいに違いない。

しかし待てよ。木更津ゴルフクラブには一度だけ行ったことがある。が、カツサンドの記憶がない。おそらくそのときはまだ、私の「カツサンド定点観測」が始まっていなかったのだろう。悔しい、食べ損ねた。次回、「どこのゴルフ場でやりましょうか」と誘われたら、『木更津ゴルフクラブ』と指名することにしよう。ゴルフ自体ももちろん楽しみだが、何よりそのシャキシャキカツサンドを一度、試してみたいですからね。

オー、御御御つけ

おみおつけとは、そもそも宮中言葉だと、テレビで解説していた。元来、ご飯に付けて供する汁ものを、「付け」と呼び、丁寧語は「お付け」。その言葉が一般庶民のあいだに浸透したため、宮中の「お付け」の格を上げなければならなくなり、「おみ付け」にしたところ、また一般庶民が追いついてきちゃったので、さらに「お」をつけたら「おみお付け」となった……らしい。すなわち、漢字で書くと「御御御付け」。「おおお付け」では言いにくいので、同義の音を間に挟んで、「おみおつけ」となった……らしい。一説には、頭の「御御」は最初からセットで「おみ」という「最上級の接頭語」だったので、「おみおつけ」になったという話もある。同じ用法としては、「御御足《おみあし》」や、「御御酒《おみき》」があるそうだ。つまり、今の流行の若者言葉に置き換えると、「チョベリグスープ」、「すっごくめっちゃ、これってやばくないー？　スープ」といったところでしょうか。

しかし、もはや庶民に追いつかれて、誰もが「おみおつけ」と言うようになってしまった昨今、宮中の方々は、この「汁」のことをなんと呼んでおられるのだろうか。さらに「御」を加えて、「おみおみつけ」なんてことになっているとしたら、なんとも面倒臭そうでお気の毒なことだ。

「今日は、おみおみつけのお具はおみおみ豆腐がよろしいでございましょうか」

私は宮中に失礼のないよう心して、ふだんから「お味噌汁《みそしる》」と呼んでいるぞ。失礼かどうかも知らない時代から無意識に、そう呼び続けている。

もっとも小さい頃はお味噌汁が好きではなかった。「ほら、お味噌汁が残ってるわよ」と母に注意され、すでにご飯とおかずでいっぱいになったお腹《なか》に、この味噌味のスープをのむのは苦痛だと感じることが多かった。はっきりと自覚を持って、「おいしい」と思ったのは比較的最近のことである。

十数年前、アメリカで一年、生活しているとき、ある日突然、

「お味噌汁がのみたい」

と思った。日本に暮らしているときはこのような突発的欲求を感じたことがなかったので我ながら驚いたのを覚えている。故郷の味は、遠くにありて想《おも》うもの。積極的に自分でお味噌汁を作るようになった。いくら日本食ブームとは言っても、アメリカ

のレストランでおいしいお味噌汁に出くわすことは稀《まれ》である。ならば自分で作ろう。ところが、お味噌汁を作り慣れていない私は、どうすればおいしいお味噌汁ができるのかがわからない。

「うーん、こんなもんかねえ」

インスタントの出汁《だし》を入れてお湯を煮立たせ、そこへ味噌を溶かし入れ、具を加え、と、一応の体裁は整えてみるものの、さほど自家製味噌汁の味に満足はできなかった。

本当に、「おいしい!」と感激したのは、帰国後のこと。日本料理の先生に教えていただいたときだ。

「あのね、基本の出汁が大事なの。まずお昆布。昆布を水に浸して火にかけます。沸騰《ふっとう》する直前に昆布を取り出して、そこへ削り節を、お湯の表面が隠れるくらいたっぷり入れる。そのまま三十秒。火を止めて、布巾《ふきん》で漉《こ》して、これで透明な出汁の出来上がり。出汁さえきちんと取っておけば、お味噌汁はおいしくできます」

たしかにその出汁で作ったお味噌汁は感動的においしかった。

「よし、これからは手を抜かず、きちんと出汁を取ってお味噌汁を作ろう」

以来、たしかに昆布と削り節で出汁を取ってはいるものの、だんだん自己流手抜き手法が入ってくる。すなわち、布巾で漉すのが面倒なので、箸《はし》で昆布と削り節を拾い上げ、一つの鍋《なべ》で済ませてしまう。少々削り節が残っても、具の一部と思えばいいだろう。そんな雑な作り方でもじゅうぶんおいしい。

そう思っていたところ、天ぷら屋さんでおいしいお味噌汁に出会った。いや、本当のところ、私は昔から天ぷら屋さんとトンカツ屋さんのお味噌汁は、どこのお店へ行ってもたいていおいしいと思う。どうしてだろう。積年の疑問を晴らすために、一度、お店の人に聞いたことがある。

「これは、出汁はなんですか？」

するといともあっさりと、

「炒子《いりこ》です」

そうか、炒子という手があったか。私はさっそく親の家で炒子を入手し、出汁を取った。炒子は昆布同様、水に浸して使うとのこと。どれぐらい浸せばいいのかわからないが、まあ適当に浸《つ》けたのち、そのまま火にかけて、いつもの要領で味噌汁を作った。が、これがおいしくない。

「うーむ。なんだかイマイチ……」

あの天ぷら屋さんの感動はどうしても蘇《よみがえ》らないのだ。炒子があまり新鮮でなかったせいか。それとも鍋から出さなかったせいか。鍋から出したバージョンも作ってみたのだが、結果は同じだ。私はどうやら炒子との相性がよろしくない。

出汁に神経を尖《とが》らせず、もっとも気楽に作ることのできる「味噌スープ」といえば、豚汁だ。いちおう出汁を取るけれど、面倒なときはインスタントの粉末ものを使う。それでも、具にする豚肉や、ごぼう、ニンジン、さといも、お揚げ、豆腐などからにじみ出る味でじゅうぶんにカバーできる。これさえあれば、他におかずはいらない。これぞ本当の「付け」である。

カクテル袋

珍しくパーティに出席した。普段、パーティというものにあまり足を運ばない。なぜか。第一の理由は、顔面記憶力（だけではないが）に自信がないからだ。「どうも」と声をかけられ、「ああ！」なんて驚きの笑みを浮かべるものの、頭の中では「誰だっけ誰だっけ」と疾風《はやて》の勢いで記憶をたどり、相手の反応を探りつつ会話を続ける。だから必ず一つや二つは失敗をしでかす。失敗を繕《つくろ》おうと愛想のかぎりを尽くす。しどろもどろに喋《しゃべ》りまくる。喋っている途中で、新たな人との会話が始まる。そのため会話が中断される。話が中途半端《はんぱ》に終わった不安が余韻として残る。その繰り返しを蓄積し、そして家路につく頃は、すっかり気持が沈んでいるというわけだ。

パーティ嫌いのもう一つの理由は、落ち着いて食事ができないこと。立ったままバッグとグラスを持ち、その態勢で壇上に拍手を送る。手がふさがっているから、叩《たた》いても音が出ない。さらに強く叩くとグラスが揺れ、危うく中身がこぼれそうになる。

そばにテーブルがあればグラスを置くこともできるが、長く放置するとボーイさんに片づけられるので監視していなければならない。ようやく乾杯のスピーチが終了し、「ご歓談」タイムに入ると、今度は中央に並べられたごちそうの数々に目がいく。つい、近づいていく。会費を払っている手前、「ここで食べなきゃ損」と吝嗇《りんしょく》の虫が蠢《うごめ》き出す。

このたびのパーティに居並ぶごちそうがまた、おいしそうだったからいけない。激しくお腹《なか》が空《す》いていたことも私をややこしい世界へと誘導した。いったんグラスをテーブルに置き、小皿と箸《はし》を取る。にぎり寿司《ずし》、生ハム、サラダ、牡蠣《かき》フライ、スパゲッティ、グラタン、ビーフストロガノフ……。うーん、どれにしよう。少しずつと思いながらも、手を伸ばすうちあっという間にお皿は山盛り。この山盛りの皿を左手で持ち、右手にお箸。腕にバッグ。グラスはどの手で持てばいいのか。タコじゃあるまいし、もはや持つ手の用意はない。しかたなく、食べている間は飲まないと決める。そんなこんなの苦労をしている最中にも出席者との会話は続け、ときどきスピーチに拍手も送らなければならない。初対面の方と挨拶《あいさつ》をし、名刺を受け取ったりもする。私は徐々に思い出す。そうだった、そうだった。立食パーティっていつもこうだった。

「お久しぶりですね」

見知った顔が二つ現れた。その瞬間に緊張の糸がほぐれる。よかった、この人たちがいてくれたか。本来、パーティでの心構えはなるべく見知らぬ人との交流を広げることであり、親しい者同士がかたまって長く内輪話を続けるものではない。以前、そう教えられた記憶があるけれど、今は緊急事態だ。しばらくはこの安堵《あんど》の輪に身をゆだねよう。

「グラスは？　飲まないの？」

知人は私がグラスを持っていないことに気づいて、持ってきてあげようと申し出てくれる。その親切はありがたいけれど、

「いいんです。今、持てないの、ほら」

私はふさがっている両手を披露する。

「あー、そういうことか」

知人は笑って、「こないだね、ヴェニスに行ってパーティに出たらね」と、面白い話をしてくれた。すなわち、そのパーティでは入口で出席者全員に紐《ひも》のついた小さな袋が配布されたという。

「それを首にかけろっていうんだ。何に使うのかと思ったら、グラス入れなんだよ」

その袋は布製で、底にマチもなく、いわば布の定期入れのようなかたちをしているらしい。

「でもグラスを入れるとしっかり固定して、グラスが倒れないようにうまくできてるんだ。だから料理を食べるときはグラスをその袋に入れておけばいい」

「へえ、ワイングラスでも倒れないの？」

「それが不思議に倒れないんだよね、あれはいいアイディアだよねえ」

隣で話を聞いていたもうひとりの知人も同意して声をあげた。その方も同じパーティに出たそうだ。

「あれもいいけど、お皿に凹《へこ》みをつけて、グラスが引っかけられるようにするっていうのはどうだろう」

「ついでにお箸やフォークを引っかけられるところも欲しいね」

「だったらさ、いっそお皿をパレットみたいなかたちにして、グラス引っかける場所と、料理置く場所と、あと名刺置くコーナーとか区分を作るのもいいんじゃない？」

にわかに商品企画会議が展開される流れとなった。

「じゃ、拍手するときはどうする？」

「それはグラスもフォークもぶらさがってるパレット皿だとちょっと難しいでしょ

う」

「パレット皿も首からぶらさげたらどう？」

「食べにくいんじゃない？」

「拍手するときだけさ」

先刻までの緊張はどこへやら、すっかり気持は明るくなり、このパーティに出席してよかったと思い始めていた。ふと壇上へ目をやると、どなたかがスピーチをなさっている最中だ。が、誰も聞いていない。私たちもぜんぜん聞いていなかった。そのうえ、我々パレット皿開発チームがもっともスピーカー氏に近い場所に陣取っている。前にいた人々はいつのまにはけたのか……。スピーカー氏と目が合う。気まずく頷《うなず》いてみせる。そしてパーティは、あらゆる不具合と不便を包み込みながら、さらに盛り上がっていった。

生姜《しょうが》ジュース

丸の内のビルの地下に農園があると聞き、見学に行った。かつては銀行だったという重厚な造りの建物のなかに、田んぼが広がり、ハーブやトマトやサラダ菜の水耕栽培室がある。太陽のかわりに電気を照らし、土のかわりに水槽が置かれ、農薬も必要ない。これぞまことの「箱入り野菜」である。

このビル内農園のそもそもの目的は、「都会の子どもやサラリーマンに農業を身近に感じてもらうこと」だそうで、だから出来高や味の向上を図ろうという狙《ねら》いはない。ただ、せっかく実った収穫物は有効に利用しようとの考えで、見学者は野菜の試食ができることになっている。その日もひと通りの見学を終えると、テーブルにトマトとサラダ菜のサラダが並べられていた。

「どうぞ、このゴマドレッシングをかけて召し上がってみてください」

太陽もそよ風も、土の力も借りずに育ったサラダ菜とトマトは一見したところ、色も姿も立派に一人前で、八百屋さんに並んでいるものと比べても遜色《そんしょく》がない。

「いかがですか、味のほうは？」

スタッフに訊《き》かれ、傍らに置かれたドレッシングをかけて、口に入れると、

「あら、おいしい！」

見学者チームから一斉に声があがる。案内してくださった関係者諸氏の顔がほころぶ。が、実は私たちが反応したのは、ドレッシングの味だった。もちろん、トマトもサラダ菜もおいしかったのですけどね、つい関心はドレッシングのほうへ傾いて、

「これ、どこのですか？」と尋ねたところ、

「私どもが作ったんです」と作業着に身を包んだ男性スタッフが笑った。へえー、驚いたもんだと、ぱくぱく食べる。野菜の味をほめずに、ドレッシングにばかり感心して申し訳ないなあと思いながら、ぱくぱく食べる。ふと見ると、サラダの隣にグラスがあった。なかには黄色い液体が入っている。

「そのジュースも飲んでみてください」

促され、一口飲んでまた驚いた。濃厚な生姜ジュースである。

「わ、おいしいっ」

ふたたび、同行見学者が顔を見合わせる。なかでも、仕事仲間のマイコがことのほ

か喜んだ。

「実は今朝、風邪っぽいなと思って起きたんですけど、これ飲んだら治ったみたい」

たしかに風邪が吹っ飛びそうな強烈な生姜の味だ。

「この生姜ジュースは、ここで売ってらっしゃるんですか」

野菜をほめず、生姜ジュースに興奮して尋ねると、

「いえ、これも私どもが作ったもので。売り物ではないんです」

スタッフのおにいちゃん、とうとう苦笑いになっている。それはそうだろう。先刻、農園を一巡したとき、生姜が植わっている気配はなかった。どうもこの農園で育った生姜というわけではなさそうだ。それでもめげず、私は追究する。

「どうやって作るんですか？」

「生姜をですね、繊維を切断する方向に粗く切ってミキサーにかけて、蜂蜜《はちみつ》とレモンを加えるんです」

「ほおー」

見学者一同、感心し、「いやあ、ステキな農園でした」と礼を言い、その場をあとにした。

世の中には意外なところに意外な美味が潜んでいる。どう見ても料理とは縁のなさ

そうな農業学系の男性が、あんな味を作り出せるとは。いやしかし、農作物を大事にする人々だからこそ味に敏感なのかもしれない。お見それいたしました。

自宅に帰ってさっそく生姜ジュースを作ってみた。生姜の皮をむき、薄く切る。ミキサーはないので得意のフードプロセッサーを取り出してギュイーンしよう。生姜を入れ、蜂蜜をタラタラタラ……タラ、甘すぎてもいけないのでひとまずこれくらい。あとはレモンか。半かけが冷蔵庫に残っていた。搾《しぼ》り込む。そしてスイッチオン。ギュイーンと攪拌《かくはん》したものの、とてもジュースとは思えない。細かくなった生姜のかたまりが、容器のなかに飛び散っている。「擂《す》り生姜」がたくさんできた感じだ。これではダメだろう。水を加えてみる。ギュイーン。まだ固形物の域を脱せず。さらに水を加える。となると、もう少し蜂蜜も足すか。

こうしてようやく出来上がったものを眺めるに、これはつまり「擂り生姜の水割り」だということがわかった。一口飲むと、いっぺんに目が覚める。

「うわっ」

かつて韓国で風邪気味だったとき、ガイドさんに勧められて飲んだ生姜茶のことを思い出す。中華料理屋さんで「上海ガニ」を食べたときに一緒に出された「生姜湯」もこういう味だった。熱々の生姜湯を喉《のど》の奥へ流し込むと、生姜という野菜がいかに薬の効果を持っているかをしみじみと思い知る。風邪をひくと、ああ、あの韓国で飲んだ、あの中華料理屋さんで知った生姜湯を飲みたいと、いつも思う。なんだ、こんなに簡単にウチで作れるのか。水でなくお湯でのばせば生姜ジュースは生姜湯と化す。この冬はこの自家製生姜ジュースで乗り切ろう。これで風邪対策は盤石《ばんじゃく》なものとなった。

そして二日後、一緒にビル内農園を見学したマイコに会ってそのことを伝えると、

「ホント、いいこと教わりましたよね」

そう言うマイコは完璧《かんぺき》な風邪声になっている。生姜ジュースは効かなかったのか。

意外な仲

高級フランス料理のご接待を受けた。ご接待だからどれぐらい高級かはわからないけれど、店の雰囲気からして相当にお高そうだった。もともとパリでその名を馳《は》せ、海外のあちこちに支店を出し、このたび初めて東京店をオープンしたという鳴り物入りのレストランである。斬新《ざんしん》なデザインのビル上階にあるその店へ一歩足を踏み入れたとたん、ドキドキした。しかしここで「ああ、とても私には場違いだわ」と思ったらおしまいだ。緊張のあまりなにを食べているのかわからなくなる。そうなってはもったいない。場の雰囲気に負けないようじゅうぶんに深呼吸をし、歩き方もエレガントに、姫様ふうに振る舞う。しかしそんな無理をするとたいがいどこかでドジを踏む。このたびも、お手洗いにて洒落《しゃれ》た造りの重いドアに頭を挟みそうになった。にわかセレブは必ずどこかで馬脚をあらわす。

それはさておき、料理はどうだったかというと、いずれも技巧が凝らされ、しかも美味である。技巧と味は概して両立しない気がするが、その店の料理には摩訶《まか》不思議な魅力があった。アリスの不思議の国に出てくるかのごときファンタジックで愛らしい料理が次々に現れて、いちいちびっくりなのである。たとえば突き出しに供された一円玉大の「ウイキョウ煎餅《せんべい》」やサイコロのようなハーブ入りクッキー。茶巾《ちゃきん》絞りのかたちをしたバター。メインディッシュは仔鳩《こばと》のローストだったが、一緒に供された小鉢の中身は、はたして何だ？　と口に入れるや、パッションフルーツのシャーベットではないか。冷たくて甘い。でもなぜか仔鳩とよく合い口のなかがスカッとする。そして最後のほうに出てきた「チーズです」の皿に目をやれば、シソの葉に巻かれた細長い形状のものあり。一口かじってこれまた驚いた。

「ひょ、これ、なかはブルーチーズよ！」

高度技術を要する料理ばかりが続くなか、たまにこういう単純かつ意表を突く一品が現れると、無性にうれしくなる。

「お、これ、ウチでもやってみよう」

青ジソとブルーチーズさえあればできるのだ。明日にでも作って友を驚かすことができる。それなのに、そんな発想は、思いついたことがない。ブルーチーズとシソ。互いに癖があり、個性が強く、どちらも譲り合う気配がないように見えるけれど、合わせてみると、意外に仲良し。むしろブルーチーズのツンとした臭み（私はそこが好きなのではあるが）がシソの香りに包まれて和らげられているような、こういう組み合わせを発見できることが、一流料理人の才能というものなのだろう。

「うーん、面白いですねえ……」

深く感心するのは、自分の財布を傷《いた》めて、いないせいもある。もしこれが自分で払うとなったら、「こんな簡単な一品でいくら取るんじゃ？」と思ったかもしれない。

思いも寄らぬ食べ物の組み合わせを最初に発見した人は偉い。生ハムにメロンなんて、いったい誰がどこで最初に発表したのだろう。素晴らしい組み合わせかどうかは、実のところよくわからないが、とりあえず世界中で「生ハムといったらメロンでしょう」と認知させるだけの知名度を確保している。最近は生ハムとイチジクというパターンもときどき見かけられ、つまりハムと果実の甘味の相性がいいのかと理解してみるが、だからといって生ハムとぶどうとか、生ハムとミカンやリンゴなんて組み合わせにはお目にかかったことがない。なぜだろう。

アメリカ人はイチゴジャムとピーナッツバターをサンドイッチに一緒に挟むのが好きだ。アメリカの子どもはたいていこのサンドイッチを食べて育ったという。初めてその「イチゴジャムピーナッツバターサンド」を口にしたときは、なんと申し上げてよいやらな気持になったけれど、食べているうちにだんだん馴染《なじ》んで、今ではときどき食べたくなる味だ。でも、ノスタルジーはないね。アメリカ人じゃないから。

私にとってイチゴジャムのノスタルジーは他にある。我が家にはカレーライスにイチゴジャムを添えて食べる習慣がある。ずっと昔、どなたかから母が教えられ、実行してみたら父も家族も気に入って、以来、続けているのだと推測される。それがいつ頃のことかは覚えていないが、私が物心ついたときは、献立がカレーとなれば、食卓には必ずイチゴジャムの瓶が並んでいた。

考えてみればカレーライスにフルーツチャツネを添える食べ方は存在するから、イチゴジャムでも別におかしくないはずだ。むしろ、さまざまな香料が含まれているチャツネより、すっきりとしたイチゴの甘味のほうが日本人には馴染みやすいと思う。だから私は福神漬けやラッキョウをカレーに添えるより、イチゴジャムとともにカレーライスを食べるほうが好きである。福神漬けやラッキョウは、白いご飯の漬け物としての役割はじゅうぶんに果たすが、カレーのルーと必ずしも仲が良いとは思えない(ただし紅ショウガとカレーは許す。あの酸味とカレーは合う)。それよりも、イチゴジャムのイチゴらしい甘味と、ピリピリ辛いカレーの味を交互に味わうと、ほんわかした気持になる。甘い、辛い、甘い、辛い。一皿で二つの味を楽しめて、しかも互いが互いを刺激し合い、最後に融合する。なんと美しい味のハーモニーではないか。この話は実のところ、何度も書いて、何度も人様に語り聞かせているのだけれど、いっこうに広まった気配がない。無念。

カブと風邪

仕事で四国の松山へ行った帰り、松山空港の出発ロビーをうろうろしていると、床に段ボール箱が並べられ、いかにも鮮度の良さそうな野菜が顔を覗《のぞ》かせていた。ほうれん草、小松菜、カブ、里芋、長芋、トマトに大根。「あっらー、おいしそ」とは思ったが、まさかこれから飛行機に乗る身で生野菜を抱えて入るわけにもいくまい。段ボール箱の間を抜けて、その奥の売店を一巡し、そろそろゲートのなかに入ろうかと思ったとき、小松菜が私を引き止めた。

「行っちゃうの？　俺、安いんだぜ」

見直してみれば、なるほど小松菜が一束でたったの三十円。その隣の大粒のカブは、長さ五十センチほどのたわわなる葉をつけた状態で、五個一束百二十円なり。にわかにカブと油揚げの炒《いた》め煮が食べたくなった。

「よし、連れて帰るぞ！」

私は映画『昼下りの情事』のラストシーンでゲーリー・クーパーがオードリー・ヘプバーンを抱き上げるがごとく、カブと小松菜を一束ずつつかみ上げ、合計百五十円を払って飛行機に乗り込んだ。

お荷物、上の棚にお乗せしましょうかと優しい声で申し出てくださる客室乗務員に「いえ、自分で……」と伏し目がちに答える。なんたってビニール袋の中身はカブと小松菜だ。こんなスーパー帰りのような持ち物に、「お荷物」なんて敬語をつけていただくと恐縮してしまう。しかし、私にとってはうれしい荷物である。帰ったらこのカブで何を作ろう。カブと油揚げの炒め煮もいいけれど、せっかくの新鮮なカブだから、生でサラダにしてみようかしら。小松菜は茹《ゆ》でて柚子《ゆず》酢と醬油《しょうゆ》をかけるだけでじゅうぶんにおいしい。ごま油と豆板醬《トウバンジャン》を加えて中華風のお浸しにするのも一考か。

あれこれ夢想しながら家路につくあたりから、どうも具合が悪くなってきた。一週間ほど前に罹《かか》った風邪がぶり返した様子である。身体《からだ》がだるく、微熱を覚える。ひとまずカブと小松菜は冷蔵庫に収め、その日のところは寝ることにした。

その後、風邪は順調に悪化して、寝たり起きたり咳《せき》の発作にもだえたりの『風立ちぬ』生活を続けつつも、頭の片隅に浮かぶのは、冷蔵庫のカブと小松菜のことである。はるばる抱えて帰った産地直送新鮮野菜の意味をなさなくなってしまう。

「ああ……」

いつまでも情けない声を出してはいられないので、奮起して寝床を出て台所へ向かう。冷蔵庫を開ける。カブと小松菜が野菜室にふんぞり返っている。早くなんとかしろとばかり私を睨《にら》む。睨まれたってね、困るのよ。かわりに頂き物の洋梨《なし》なんぞを取り出して皮をむく。一切れ食べるとなんたる清涼感。風邪のときは冷たい果物がいちばんだとしみじみ思い、またベッドに倒れ込む。

数時間後、ふたたび起き上がって冷蔵庫を開けると、またカブと小松菜の親分と目が合う。どうしてくれるんだとふてくされている。少しやつれた気配もある。いよいよ同情余儀なくされて束ごと取り出し、まな板の上に寝かせ、しばし考える。なんでこんなに買っちゃったんだろうなんて後悔する。覆水《ふくすい》盆に返らず。なにか簡単に作ることができて食欲をそそるものはないか。

とりあえず小松菜はゆがいてラップに包んでまた冷蔵庫にしまう。これならいつでも食べられる。

さて問題はカブだ。と、そのとき思い出した。去年のちょうど今頃、テレビの「巨大カブ特集」番組に出演し、帰りにカブをおみやげにいただいた。あの日も体調を崩し、高熱を発していたが、スタジオで試食したカブのみずみずしさに未練が残り、必死の思いで背負って帰ったのであった。あのカブで作ったスープのおいしかったこと。

「そうだ、スープを作ろう」

私は冷凍庫に常備していた鶏《とり》ガラを取り出し、水をたっぷり加えてスープを煮立たせた。薬味にネギと生姜《しょうが》のかけらを加え、じゅうぶんにスープが出たと思う頃、六等分にしたカブをぽんぽん放り込む。こんな手間のかからない、しかも滋養に良さそうなものがあるだろうか。少し元気が出る。

しかし、まな板の上にはまだ大量のカブの葉っぱが残っていた。はて、これはどう始末しよう。

かねがね私は、カブの葉と大根の葉の違いについて思うところがある。大根の葉は油で炒めてきんぴら風に味付けし、ご飯にのせるとこよなくおいしいが、同じ調理法でカブのきんぴらを作ってもさほどの感動が訪れない。シャキシャキ感が足りないのである。ところがカブの葉は漬け物などの生で食べると驚くほどのシャキシャキ感と味わいがある。よって私の意見としては、カブの葉は「生で食べるにかぎる」のだ。そこでこのたび、大量カブの葉を生のまま、塩もみにして保存しようと思い立つ。これはなかなかのアイディアだ。喜んだまではよかったが、なにせ大量。全部を塩もみするだけで、衰弱した身体にはきつかった。でも努力の甲斐《かい》あり、塩もみカブの葉は病気療養中の私には貴重な食欲増進源となった。柚子酢を加えて食べるもよし、トーストにのせるもよし。ご飯にのせて食べたいが、米を研ぐのが億劫《おっくう》でまだ実行していない。

こうして五日経《た》ち、おかげで私はカブのスープとカブの葉の塩もみで生き延びた。百二十円で五日。節約生活コンテストに出られそうだ。で、おいしかったかって？　それはもう、おいしかったにちがいないけれど、さすがに飽きました、カブにも風邪にも。

蘇《よみがえ》った食欲

この一ヶ月あまり、しつこい風邪につきまとわれ、止まることなき咳《せき》に苦しめられ、私にしては珍しく食欲を失っていたのだが、その反動が一挙に襲ってきた。何を食べてもおいしい。いくらでも食べられる。満腹になってもなお食べたい。

一ヶ月で二キロ半減った体重が、四日で元に戻り、五日目にして元を越えた。どうした、胃袋くん、そんなに食べることがうれしいの？　このままだと早晩、メタボリック腹になることは間違いない。そろそろ自制しなければと、心で思っても口と手が言うことを聞かない。もっと食べよう、まだ入るぞと、はしゃぎまくっている。何がうれしいといって、食事を始めるあたりの昂揚《こうよう》は筆舌に尽くしがたい。

「なに飲む？」

食事の同伴者と顔を見合わせて、まずは最初のお酒を注文する。たいていの場合、ビール。料理の種類によってはシャンパン。私の好みとして、ときにシャンパンにオレンジジュースや桃のジュースを混ぜたカクテルを頼むこともある。お待たせいたしましたという声とともにグラスが目の前に置かれると、次なる期待は当然、最初の食べ物だ。

遺伝というのは恐ろしいもので、父が昔からそうであった。最初のお酒が届くと必ず、お店の人を呼び止める。

「なんでもいいから、なにかつまむものをもらえませんかね。急いで。なんでもいいから」

この切羽詰まった父の気持がせわしなく感じられ、子どもの頃は、せっかくこれから順序立てて食事を用意しようとしているお店に失礼ではないかと思ったものだが、今や私は父と同じ心境だ。つまり我が遺伝子の意図するところは、一口目のお酒の感動は、一口目の食べ物と同時に味わいたい。お酒はあくまでも、おいしい食べ物をよりおいしく食べるためのもの。だから、とくに空腹どきにお酒だけを与えられると、無性に虚《むな》しくなるのである。

実のところ、「なんでもいい」と言いながら、なんだっていいわけではない。当然、お酒に合う小さなお皿であることが望ましい。幸い、我が親子のような人種が世の中に増えてきたのか、最近は和食店だけでなく洋食系のお店でもたいてい一杯目のお酒とともに、なにか気の利《き》いたアミューズが一品ついてくる。これはうれしいですね。

そこで、いったい世の中ではどんなものが最初のお酒とともに供されるか、少々整理してみることにした。ここで気づいたことがある。どうもイタリア料理と中華料理では、おつけもの系の突き出しが多い。たとえばイタリアンレストランではオリーブとピクルス。先日訪れた中華料理屋さんでビールとともに、大根とキュウリの酢漬けが出てきた。なるほど酸味には食欲を増進させる作用がある。しかし和食屋で、最初におつけものが出てくることはないだろう。ビールとともに、奈良漬けやキュウリのぬか漬けなんぞが出てきたら、それはそれでうれしいような気もするが、あれ？と思うかもしれない。あれ？もうご飯が出てくるのかな？

和食屋の突き出しと言えば、枝豆やひじきやおからやきんぴらごぼう。家で作ればたいそう手間のかかりそうなものほど、お店では料金に含まれない突き出しになって出てくることが多い。だからなおさら有り難く思う。有り難く、しかもお酒に合うのでついつい何度も手が伸びる。が、ここでお腹《なか》がいっぱいになっては損だ。でも食べたい、もう止《や》めよう、あと一口と、理性と胃袋の間にこういう食前の葛藤《かっとう》が起こるのも楽しいんだかつらいんだか。

私にとって、楽しくてつらい食前の葛藤でもっとも顕著なつまみの一つは、ある中華料理屋さんで出てくる「揚げピーナッツ」だ。油で揚げて、砂糖でもまぶしてあるのかやや甘い味のするピーナッツ。これがビールによく合う。

別の中華料理屋さんの突き出しに、ジャガイモとピーマンの和《あ》え物がある。千切りのジャガイモとピーマンが薄い塩味とごま油で和えてあるだけのものだが、ジャガイモのシャキシャキした感触がすがすがしくて、つい箸《はし》が進む。なんでこんな単純なものがこんなにおいしいのだろう。一度、作り方を聞こうと思いつつ、続いて出てくるヒツジのしゃぶしゃぶに興奮し、お腹がいっぱいになるにつれてジャガイモのことはすっかり頭から離れてしまう。でもそれが突き出しの定めというものだろう。空腹どき、一杯目のお酒とともに「うー、おいしい」と食する人をどれほど感動させても、次に登場するメインの衝撃には打ち勝てない。むしろ打ち勝ってはいけないのである。ライトの当たらぬテーブルの片隅に追いやられ、すっかりしょぼくれて、しかし突き出しは心のなかで自らに諭すのだ。

「これでいいのよ、これで。だって私の役割はじゅうぶんに果たしたのですもの」

このいたいけな姿こそ、突き出しの美しさなのである。

もう一つ、貴重な突き出しおつまみを思い出した。チーズである。昨今、本格フランスレストランが台頭する日本において、「チーズは食後」という定義が浸透しつつあり、私もその例に倣《なら》う場合が多くなってきたが、本心のところで、「チーズは食前に食べたい……」と思っている。チーズを酒の肴《さかな》として食前に食べようとするのは日本人だけなのだろうか。食前酒とともに「本日のチーズはこのように取りそろえておりますが」とさまざまな種類のチーズの並ぶ籠《かご》が差し出されたら、どれほど楽しいだろう。

思い出し肴《ざかな》

幼い頃から酒の肴が好きだった。いくらや瓶詰めの練《ね》りウニ、このわたなどを見ると狂喜する私を見て、大人たちは異口同音に呟《つぶや》いた。

「この子は相当な飲み助になるよ」

別にお酒をがぶ飲みしているわけでもないのに、なぜ大人は皆、私のことをそんなふうに言うのだろう。お酒に合う肴は、同時に白いご飯にもよく合う。日本酒はお米から作られているのだから当然のことだろう。私は単に、ご飯に合うおかずが好きなだけだ。それがたまたま酒の肴なんだもんと、心の中で叫んだ。

しかしまあ、洋菓子のなかでいちばん好きだったのはサバランだし、チョコレートの詰め合わせをいただくと、どれにしようかと迷った末、最終的には洋酒の流れ出るチョコレートを嬉々《きき》として選んでいたことを思うと、やはり幼少のみぎりよりお酒が嫌いではなかったようだ。

酒の肴が好きなせいかどうかはわからないが、家でお酒に合うおつまみを作るのは好きだった。来客が多かったせいもある。母は年中、食前に供する酒の肴を作るのに四苦八苦していた。キュウリを二センチほどの長さに切って、上にクリームチーズや練りウニを乗せて大皿に並べる。その手のおつまみは子どもでも作れるのでよく手伝った覚えがある。母は私の隣で鶏《とり》のレバーにベーコンを巻いて一つずつ爪楊枝でとめていた。それを鉄板に並べ、オーブンに入れる。ベーコンの油が溶けてレバーに染《し》み込む。その香りが部屋中に広がる頃、ああ、今日はお客様がいらっしゃるのだとワクワクしたものだ。

母が作るお酒のおつまみで、もう一つ印象に残っているのは、ゆで玉子の前菜だ。やや堅めの半熟玉子（白身は固まっていて、黄身の部分が少し柔らかい程度）をたくさん作り、殻をむいて半分に切る。そういえばあの頃は、ゆで玉子を切るときに糸を使ったものである。三、四十センチほどの長さの木綿糸を用意して、片方の端を口にくわえ、ピンとのばして、殻をむいた玉子の真ん中あたりに当てる。糸を玉子に巻き付けて、一周したところでそっと絞る。糸が包丁のかわりになって、玉子を切断してくれるのだ。包丁で切ると黄身と白身が崩れてしまう恐れがあるけれど、この方法だとそういう失敗が少ない。もちろん、一気にやらないと切断面がきれいにならないし、角度を見誤れば玉子が斜めに切れてしまう。でも、うまくいったときは何とも言えずうれしい。こういうことが楽しくて、台所仕事を手伝っていたようなものかもしれない。半分に切れたら、さらに底の丸くなっている部分を、今度は白身だけなので小さいナイフで少しだけ切り落とす。お皿に並べるとき倒れないようにするためだ。行儀良く並んだ玉子の上に、母は白いソースをかけてお客様に供した。私は長らくそれをホワイトソースだと思い込んでいたのだが、このたび念のため母に尋ねたところ、生クリームで作ったソースだったことが判明した。

当時、母が愛読していた料理本の一冊に、中央公論社から出版された「ヨーロッパの家庭料理」シリーズというのがあった。そのなかの「イタリア版・温かいオードブル」に載っていた一品だという。

みじん切りにしたタマネギをキャセロールに入れて炒《いた》め、そこへ白ワイン、生クリーム、溶かしたバター、マスタード、塩胡椒《こしょう》を加えて味を整え、小さな器に二つずつ並べた玉子の上からかけて、上にみじん切りのパセリを散らす。

「あら、私、こんな凝ったもの、作ってたかしら」

もはやめったに参考にすることのなくなった古い料理本を引っ張り出し、母が電話口で作り方を読み上げてくれた。私も驚いた。

「でも母さんはたしか、玉子を小鉢に入れたりしないで、大皿にいっぱい並べて、上からドロンとソースをかけていたような気がするけど」

「あんた、よく覚えているわね。そんなこととしてた、私？　ぜんぜん覚えてない」

料理本を見て作るうち、少しずつ自己流に変えていくところも、ときが過ぎるとあれほど頻繁に作っていた料理のことを忘れてしまうところも、母譲りの性格だったのか。

私にも同じような体験がある。いっとき凝って作り続けた小さな一品なのに、記憶からすっかり抜け落ちてしまうのだ。

「あなたが前にエッセイに書いていた『ダイコンと昆布の油炒め』の作り方、詳しく教えてくれない？」

あるとき知り合いのご婦人から問われ、はてそんなことを書いたかしらと首を傾《かし》げた。書いたことも作ったことも思い出せない。

「えー、なんでしたっけ？」

逆に質問し、結局、教えて差し上げることができなかった。そしてしばらくのち、突然、思い出した。

「ああ、あれのことか」

熱い鉄鍋《なべ》に油を敷き、小さくちぎった出し昆布をいくつか散らす。昆布の味が油に染《し》み込んだ頃を見計らい、二、三センチの厚さに輪切りしたダイコンを鍋いっぱいに並べ、弱火でコトコト、時間をかけてじっくり両面を焼く。味付けは塩のみ。たったそれだけの単純な料理なのに、ダイコンのおいしさがしみじみと口の中で広がる、うれしくなる一品だ。と、そんな偉そうなことを書いておきながら、作らなくなったら忘れていた。

思い出したから、今度、作ってみよう。ついでに玉子のオードブルも試したくなった。

選択食卓

久しぶりにトンカツを食べた。味覚は年齢にしたがって変わっていくものらしい。若い頃ほど頻繁に「揚げ物が食べたい！」と思うことがなくなった。月に一、二度ぐらいのわりで突発的に「トンカツ！」の姿が脳裏に浮かび、無性に食べたくなったものだが、不思議である。カツサンドは今でも好きだし、イタリア料理の「ミラノ風カツレツ」というのも比較的よく注文するが、トンカツ屋さんに入る頻度はここ数年、確実に減っている。

引っ越しをしたせいもある。以前、住んでいた家の近くにおいしいトンカツ屋さんがあった。そのため、来客があると、「トンカツを食べに行きませんか？」と誘い出すことが多かった。近所にトンカツ屋さんがあるというだけで、そこはかとなく豊かな気持になる。鰻《うなぎ》屋さんが近くにあるのも好きだが、鰻は「静か」に、トンカツは「溌剌《はつらつ》」といただくイメージがある。油のせいか。

トンカツを食べに行こうと決めたとき、いつも気になるのがキャベツの千切りのことだ。たっぷりキャベツがついてくるかしら。キャベツだけのおかわりができるかしら。みずみずしいキャベツかしら。

誰が決めたか知らないが、トンカツにキャベツの千切りを添えて出した人は偉いと思う。キャベツの千切りのないトンカツなんて、クリープのないコーヒーのようなものだ。どんなにジューシーな豚肉で、どれほどカラリと揚がっていても、シャキシャキとしたキャベツの千切りが一緒でなければ、最後まで飽きずに食べることはできないだろう。ブタ君だって、あんな熱い油に入れられた労苦が報われないというものだ。

「はい、お待ちどうさまぁ」

どっしりとした厚手の器に盛られたヒレカツが目の前に到着する。期待通りの山盛りキャベツだ。ほっほお。黄金色のトンカツの表面がまだチカチカ音を立てている。白いご飯とお味噌汁《みそしる》が同時に供されるところがまた、トンカツの魅力の一つでもある。

ではさっそくと、私はテーブルに目を走らせる。するとそこで、

「アガワさんはどっち派？」

このたびトンカツに誘ってくださった知人のコンさんからのご下問《かもん》である。

「トンカツに醤油《しょうゆ》？　それともソース？」

はて私はどちらであろう。まさにソースのツボに手を伸ばしかけていたところだったが、しばし逡巡《しゅんじゅん》する。改めてそう問われると、はたして自分が「どちら派」であったか、意識の薄かったことに気づく。一時期、「トンカツに醤油とレモンをかけて食べるのが好きだ」と公言した記憶はある。が、それを生涯貫こうというほどの強い主張ではなかった。

トンカツ屋によって、ソースが二種類用意されている場合もある。さらさらのウスター系ソースと、ドロリとしたトンカツソース。二つあれば、両方とも試してみたくなるので、トンカツ一切れごとに交互につけて楽しむこともある。

「そうですねえ、どっちだろうなあ」

曖昧《あいまい》に応《こた》え、とりあえずツボのなかからソースをすくって一切れにかけてみる。ソースに飽きたら醤油をかければいい。

「僕はね、いつもソースですよ」

そうおっしゃるコンさんの隣でコンさんの奥様が、

「お塩をつけてもいいのよ、この店は」

なるほど塩の盛られた小皿がテーブルに置かれている。へえ、トンカツにお塩ですか。それは初体験とばかり、今度は塩をつけて食べてみる。なんだか天ぷらみたいだ。

馴染《なじ》みがないせいか、トンカツに塩はそれほど感動しなかった。

「で、私はキャベツには、このゴマだれをかけるのが好きだわ」とコン夫人。

「これが俺にはわからないよ。キャベツはなんたってソースだろう」とコン旦那《だんな》。

そうか、キャベツに何をかけるかの選択肢もあったか。と、私はまた迷い、キャベツにソースをかける。だからといって、「なんたってソース」と断言できるほどの決断ではない。ソースのかかったキャベツを口に運びながら、ゴマだれもいいかしらと心が動く。

「アガワさんは、しゃぶしゃぶはゴマだれ？」

トンカツにカラシを塗りながら、コンさんの質問が続く。

「しゃぶしゃぶですか？　あ、しゃぶしゃぶは、ゴマだれですね」

そう応えたとたん、

「邪道だね。しゃぶしゃぶはポン酢に決まっているでしょうが」

たしかに豆腐や菜っ葉はポン酢が合うと思うけれど、肉や白菜はゴマだれが合いますよ。反論しつつ、しかし私の場合は、あっさりゴマだれではなく、豆板醤《トウバンジャン》やニンニク、生姜《しょうが》、長ネギ、腐乳などをたっぷり入れた中華風ゴマだれが好みなんですよと、講釈垂れるうち、

「じゃ、目玉焼きはどっちだ？」

「どっちって？」

「醤油かソース」

目玉焼きですか。どうだろう。まずソースをかけることはめったにない。普通、パンと一緒に食べるときは塩胡椒《こしょう》の味付けだが、目玉焼きをご飯にのせるとなれば、断然、醤油。それがベーコンエッグとなればなおさら醤油。どうしてそういう区別をするかと聞かれてもわからないが、胃袋が自然に脳へ指令を出す。考えてみると日本人は食卓で、ずいぶん多くの選択をしているものだ。

甘い郷愁

東京駅の構内に、世にも甘い香りが立ちこめて、おいでおいでと私を誘う。時計を見ると、まだ新幹線の発車時刻まではだいぶ余裕がありそうだ。そう認識したとたん、私の足は一直線に香りの発生地点へ向かった。

駅などの雑踏であの手の、にわかに口元がゆるんでしまいそうな、思わず深呼吸をしたくなるような温かみ溢《あふ》れる香りに出くわすと、どうしてこれほどシアワセな気持になるのだろう。

はるか昔、私が中学生か高校生の頃である。渋谷駅の、JRと井の頭線の改札口を結ぶ二階通路、ハチ公前からの階段をのぼり切った右角に、なぜかお茶屋さんが店を構えており、店頭でお茶を焙《ほう》じていた。そのかぐわしいこと……。香りにつられてお茶を買った覚えはないけれど、その香りを嗅《か》げばたちまち、混んだ電車で疲れたことも、人混みに押されてイライラしたことも、時間に追われて焦《あせ》ったことも、すっかり忘れて心が洗われるような気持になったものである。

かぐわしきお茶屋さんの前を通り越し、渋谷駅の西口方面へ構内を少し歩いたところに、いつの頃からかベルギーワッフルの販売コーナーが設けられていた時代がある。その甘い香りも強烈な引力を発していたが、見ると必ず長い行列ができているので、時間に余裕のない私はついぞ買うことがなかった。

このたびの東京駅構内の甘い匂《にお》いの源は、ワッフルではなくスイートポテトであった。ガラスのショーケースには数種類のスイートポテトが並べられている。なかでも目に止まったのはプレーンなタイプとリンゴの入ったタイプ。どちらにしよう、いくつ買おう。その日の出張に同行する人数は自分を含めて四人。さんざん迷った末に、プレーン四つとリンゴ入り四つ、合計八個のスイートポテトを買って新幹線に乗車した。

「うわ、スイートポテト？　一人二つずつ？」

座席についてまもなく箱を開けると、皆、一様に驚いて、食べ切れるかしらと呟《つぶや》きつつ、全員しっかり二つずつ、瞬《また》く間に平らげた。

「うーん、懐《なつ》かしい味だね」

「ホント、おいしいおいしい」

それぞれの感想に私も同意する。が、ふと考えた。最近、ことにお菓子方面の味について、「懐かしい」とか「昔ながら」とかいった表現がことさら誉《ほ》め言葉に使われるのはどういうわけだろう。たしかにそのスイートポテトは素直な味であった。味もさることながら、スイートポテトというお菓子自体に懐かしみを覚えるのも事実である。しかし、子どもの頃お菓子屋さんで買って食べたり家で作ってもらったりしたスイートポテトの味と比べてどうかと問われたら、「まさに記憶の味と同じだ」なんて断言する自信はないし、ましてスイートポテトは昔のほうがおいしかったのかどうかもよくわからない。

プリンもそうだ。最近やたらに「昔ながらの味」をキャッチフレーズにしているきらいがある。

「どう違うんだ?」

お菓子に詳しい友達に訊《き》いたところ、「簡単に言えば、型から出したら崩れてしまいそうなほど柔らかくてクリーミーなプリンがしばらく一世を風靡《ふうび》したために、その対極として、お皿にのせるとしっかり立つほどのかたさがあって、上には苦いカラメルソースがたっぷりのっているっていう昔のタイプが復活してきたのよ」とのこと。ああ、そうなの。そう言われてみれば、私は昔風が好きである。バカになめらかなプリンより、いかにも「卵を蒸して作りました。ちょっと蒸し過ぎて表面にブツブツができてしまいました」というタイプのほうが好みである。

しかし、お菓子のなかには「昔の味」のほうがどう考えてもおいしくなかったものもある。お菓子というかデザートというか、杏仁豆腐《あんにんどうふ》の進化には目を見張る。かつて中華料理屋さんで最後に出てくる杏仁豆腐は菱形《ひしがた》で、あんみつに入っている寒天ほどのかたさがあり、必ず缶詰のミカンや桃や真っ赤なサクランボとともに白蜜《みつ》のなかに浮かんでいた。それはそれで濃厚な料理のあとに口内をさっぱりさせてくれるだけの清涼感はあったけれど、今、あちこちで供されるアーモンドブランマンジェのような杏仁豆腐と比べれば、圧倒的にまずかった。杏仁豆腐の進化スピードは、まるで携帯電話のようである。

昔は洋菓子屋さんに必ずあったのに、この頃、とんと姿を見かけなくなったものもある。以前にも書いたけれど、私は子どもの頃からサバランが好きだった。お客様から洋菓子をいただくと、白い箱の蓋《ふた》を開け、ショートケーキやエクレアやババロアに挟まれて、ひときわ色気なく居座っているサバランを選ぶのが常だった。かろうじて頭に少しだけ白いクリームと真っ赤なサクランボがのっている。つまりはブリオッシュにお酒を染《し》み込ませただけの単純な菓子なのに、その味が好きだった。フォークで切り取ると、なかからジュワッとお酒が染み出すあの瞬間、何とも言えぬ喜びを覚えたものである。

そういえばサバランはどこに消えたのだろう。複雑巧妙なる洋菓子が次々登場するなかで、時代の波に乗り遅れたのか。寂しい。どこへ行ったサバラン。それとも私が見落としているだけなの？　進化しなくていい。フルーツとか凝った香料だとかを無理に加えてお洒落《しゃれ》をしなくてもかまわない。昔のままの姿と単純な味でいいのだから、帰ってきておくれ、サバランちゃん。

カチンカチンパン

パン屋のガラスケースの前に立つときほど心が千々《ちぢ》に乱れることはない。

「いらっしゃいませ。お決まりですか?」

店の女の子が銀色の大きなパンばさみを持って待ちかまえてくれているのに、こちらはなかなかお決まりにならないのである。

「えーとですねえ」

とりあえず、クロワッサンは欠かせない。あと、チョコレートの挟まったペストリーも欲しい。シナモンペストリーもおいしいのよね。あら、アーモンドクロワッサンってのがあるの? いいわね。甘いパンばかりでは飽きるかと、チーズ入りやハム入りのペストリーも買おうかしら。しかし待てよ、トーストも食べたくなった。いやいや、一人暮らしなのだから、そんなに食べられないでしょう。食パンだけにしようか。となると甘いペストリーに未練が残り……。迷いに迷った末、必ず買い過ぎるはめとなる。

最近、ウチの近所のパン屋さんで気に入っているのは、ミルクフランスという名の練乳クリーム入り細身のコッペパンである。これが実にうれしくなる味だ。ジャリッとした砂糖粒の感触が残る練乳の甘味とほんわか素直に焼き上げられたパン生地が絶妙なコンビネーションを醸《かも》し出している。ああ、懐《なつ》かしや。思わず叫びたくなるところだが、思い返せばコッペパンにそれほどいい思い出はない。小学校の給食に出てきたコッペパンにミルクフランスのようなクリームがついていたならよかったのに。ついてくるのはいつもマーガリン。あるいはイチゴジャム。コッペパンをちぎり、おかずの八宝菜や酢豚やカレーなどとともに口に入れる。なんだかこの組み合わせはどうなんだろう。子どもも心にもやや不信感を抱きつつ食べた覚えがある。結局、コッペパンは一本食べきれず、わら半紙に包んでランドセルの片隅に突っ込み、家に持ち帰る。ときどき持ち帰ったことを忘れる日があり、気づいたときコッペパンはカチンカチン。これをこっそり捨てたら怒られるだろうなあと、擦り器を出してきてパン粉にしてみるが、食パンで作るふわふわパン粉とは違い、なぜか砂のように細かくなる。どうしよう、これじゃ使い道がなさそうだ。カチンカチンのコッペパンで頭を叩《たた》きつつ、考え込んだ覚えがある。

フランスパンというのも一人暮らしの身の上には魅力的かつ困った存在である。香ばしい香りと熱気を発散させている焼きたてのフランスパンを目にすれば、持ち帰りたくなるのが人の性《さが》というもの。まだぬくもりの残るフランスパンをちぎってバターをチョロリとつけて口に含んだとき、ああ、もう他には何もいらないねと至福の瞬間を覚えるであろう。が、その勢いで一本まるまる食べることは稀《まれ》であり、行儀悪くちぎって残したフランスパンをビニール袋に包んで棚の上。そして一週間ほど後、そうだ、フランスパンが残っていたんだと思い出して取り出せば、チャンバラごっこができそうなほどの堅固《けんご》ぶりである。やあ、やあやあ！　ゴメン！

カチンカチンフランスパンの復元方法その一。水にしばらく浸して水分補給をしたうえで、オーブンに入れて焼く。でもこれが上手にいった例《ためし》がない。外側や端っこはカリカリにおいしくなっても、中側がまだお麩《ふ》のようにふにゃふにゃだったりする。

復元方法その二。フレンチトーストにする。卵と牛乳をといてそのなかにカチンカチンの輪切りをつけ込み、フライパンで焼く。まあこれもカチンカチン度合いによるのだが、本当にカチンカチンだとなかなか牛乳と仲良くなってくれない。まるで黄色い海に浮かぶ発泡スチロールの浮き輪のよう。

パン屋さんも売れ残ったフランスパンの処理に困るのだろう。最近、店の棚の隅にラスク菓子が並んでいるのをときどき見かける。メープル味、ガーリック味、バター味などとさまざまな種類がある。よく見ると、ビニール袋のなかに詰められたラスクのかけらにぶどうが挟まっていたりナッツが入っていたりする。なるほどこのラスク、元を正せばぶどうパンだったのかと思うと、そのパン屋の正しいリサイクル手法に感動するのであった。

ウチでもこんなふうに残ったパンをラスクにしてみる手があるか。と、ふと思ってみたものの、カチンカチンになったパンをラスク用に薄く切ることが、まずできないと気がついた。ラスクを作るとしたら、カチンカチンになる以前に判断しなければならないだろう。

バカね、フランスパンでも食パンでも、食べやすい大きさに切って冷凍庫で保存すればいいのよ。そうアドバイスされたことは何度もある。しかし、再三申し上げるように一人暮らしの身の上において「冷凍庫で保存すべき残りもの」は他にも山とあるのだ。よって冷凍庫は常に満杯。すなわちパンを収納する余地がない。そこで私は、買って数日経《た》ってなおパンが残ったら冷蔵庫の隅に押し込む。こうすれば相当に持つであろう。と思っていたのだが、パンというものは冷蔵庫に入れてもカビが生えるのですね。さあ食べようと思ったら、白いパンの表面に緑色の結晶が付着しているのを発見。なんのこれしきのカビ、どうということはない。パンを一切れ取り出して、チョイチョイチョイとカビをつまみあげ、ゴミ袋に捨てる。見なかったことにすればいい。カビの部分だけ取り除けば、ほら、すっかりきれいな白いパン。それをトーストして食べてみたところ、カビはなくても味がすっかり落ちていた。やはり、パンは焼きたて買いたてを食べるにかぎる。

フランシスの朝

人はなにゆえお酒を飲むか。

しこたま飲んで夜が明ける頃、ふと覚醒《かくせい》してみれば、断片的な記憶の隙間《すきま》に空白のあるを知り、得も言われぬ恐怖に襲われる。なんか私、暴言を吐いたかしら。神様が我々にこうしてときどき人間の愚かさを知らしめるためにお酒は存在するのだろうか。

「図に乗るな。お前はまだ修業が足りないよん」

アダムとイブに禁断のリンゴをかじらせて楽園から追放したように、酒の力で理性を狂わせ、ちくりと苦言を呈するのがテキのもくろみにちがいない。と、二日酔いの頭を抱えて私は低く呟《つぶや》く。

お酒なんて、嫌いだ！

そういうタイミングに優しくされると、コロリとまいる。なにより自分の醜態を目撃したであろう人に、「落ち込む必要はないですよ。とても楽しかったじゃないですか」なんてなぐさめられたりすると、それがお世辞とわかっていても心はやすらぎ、胸の痛みはやわらいで、是非とも、この人のために一肌脱ごうと決意する。酒は百薬の長。酒は人脈形成の母である。

でも本当のところ、自己嫌悪《けんお》に陥るほどの深酒をする機会はめっきり減った。アルコールに弱くなったせいもある。これ以上飲んだら翌日がつらくなる。そう直感するや、たちまちお酒への興味が薄れる。ああ、でも、それも時と場合と相手と食べ物と雰囲気によるかしら。これ以上飲んだら明日がつらいと、わかっているのにベロベロになったことが、思い返せば、ほんの先週、ありました。大好きなドライ・マーティニのロックを二杯飲み、その前のふぐ鍋《なべ》宴会でヒレ酒を二杯飲み、さらにその前にビールをグラス一杯飲んだっけ。翌日は夕方まで胃と頭が重かった。

悪酔いするのはお酒をチャンポンにするからだという説があるが、あるお医者様曰《いわ》く「それは種類を重ねるせいではなく、結局、酒量です」とのこと。どうなのでしょう。他の方々は知らないが、私の経験則的理念としては、醸造酒と蒸留酒とを比べると、蒸留酒でベロベロになるほうがずっと楽である。アルコールの度数から考えると蒸留酒のほうが高いと思われるが、日本酒とワインを飲み過ぎた翌朝と、ドライ・マーティニを飲んだ翌朝とでは、後者のほうが圧倒的にスッキリしている。

「フランシス・アルバートというカクテルがあるんだよ」

そう教えてくださったのは和田誠さんである。フランシス・アルバートとは、フランク・シナトラの本名だそうだ。

「うわ、飲んでみたいです」

即答し、その晩いた六本木のバーで注文したところ、供されたのはタンブラーグラスに入った薄い琥珀色《こはくいろ》のカクテルだった。一口飲むと、なんと強い！　しかし、ほのかに漂う木の香りがアルコールの強さを緩和して味に丸みを添えている。

「なんですか、これ」

「これはね、ワイルド・ターキーとタンカレー・ドライ・ジンを半々にして混ぜたもの」

なんと、バーボンとジンの一対一のカクテルなのである。

昔から人名をカクテルの名にすることは、アメリカではよくあったという。ピカソ、ヘミングウェイ、ブリジット・バルドー、チャーリー・チャップリン……。プレジデント・ルーズベルトなんてのもあるらしい。あるとき、和田さんが懇意にしておられるバー・ラジオにてオーナーの尾崎浩司《おざきこうじ》氏と歓談するうち、フランク・シナトラのカクテルがあってもいいのではないかという話になり、尾崎さんが創作なさったのだそうだ。

それより少し前、ジャズ好きの和田さんのお仲間がデューク・エリントンのコンサートを催した際に、会場に尾崎氏の出張ミニバーをしつらえて、試みにそのコンサートで演奏される曲名、たとえばキャラバンやサテンドールなどの名がついたカクテルを出してみた。こうして尾崎さんのアイディアと調合による新しいカクテルが次々に生み出されたそうだ。そしてしばらくのち、ならばフランク・シナトラというカクテルはどうだろう。でもただ「フランク・シナトラ」とつけるのでは芸がない。そういえば本名はフランシス・アルバート。これがいい！　というのが誕生の経緯のようである。

しかし、通常カクテルを作るとき、ベースとなるべきお酒を二つ混ぜることはない。バーボンとジンはどちらもベース。そこへリキュールやフルーツジュースを加えてカクテルというものは成立する。ところが敢えてベース同士を混ぜようという尾崎さんの思いつきである。しかも、バーボンとジンならなんでもいいかというと、「そうじゃないんだって」と和田さん。「僕たちも試飲させてもらったんだけれど、たしかにワイルド・ターキーとタンカレーのドライ・ジンじゃないといい味にならないの」

今や多くのバーテンの間でその名の知れ渡ったフランシス・アルバートを生み出し

た尾崎氏の創造力と和田さんの卓越したアイディアにはつくづく驚嘆させられる。が、もう一つ、驚いたことがある。

その強烈なるカクテルは、悪酔いしないのだ。フランシス・アルバートをその晩、私はどうやら三杯飲んだ記憶がある。ところが翌朝、まるで気持が悪くならなかった。胃はスッキリ、意識はパッキリ。

「歌と同じだね。圧倒的な魅力があるのに、胃もたれしないの、フランク・シナトラって」

いくら言っても、誰も信じてくれない。

野菜嫌い

好きな食べ物は多々あれど、嫌いなものは数少ない。子どもの頃は、キノコ類全般が苦手だった。だから松茸《まつたけ》には興味がなく、我ながら親孝行な娘だと思ったものである。家で松茸ご飯を炊《た》くと、松茸をよけて、出汁《だし》の染《し》み込んだご飯だけを食べていた。松茸よりさらに嫌いなのは、シイタケだ。夕方、外から帰ってきて、ガラス戸を開けたとたん、シイタケを煮る匂《にお》いにノックダウンされることがよくあった。「ウッ」と、私はまるで毒ガスを吸い込んだスパイのごとく、口に手を当てて即座にガラス戸を閉める。しかし、ずっと外にいるわけにもいかず、息を止め、決死の覚悟で突入。一目散に二階へ上がると、台所から遠いはずの二階のほうが、匂いのきついことがわかり、慌《あわ》てて階段を降りて、とにかく家中の、シイタケの匂いのしない場所を求め、咳《せ》き込みながら駆け回った。

あの強烈なる匂い、ニュルンとした感触。いったいシイタケのどこがおいしいというのだろう。とうてい理解できないと長らく思っていたけれど、いつの頃からか、さほど嫌いではなくなっていた。

最初に食べられるようになったのは、シイタケの天ぷらだ。天ぷらにすると匂いが薄れる。歯で嚙《か》んだときのぐにゃり感も不快なほどではない。

「あら、おいしいね」

天ぷらで克服すると、次はシイタケのバター炒《いた》めへと進級した。大好きなバターとニンニクに絡《から》め取られたシイタケはもはや威力を失って、従順な味になっている。

「あら、おいしい」

こうして少しずつシイタケと仲良くなり、今や最後の牙城《がじょう》は、「干しシイタケの、大きなかたちのまま供されたあまから煮」ぐらいのものである。あれを積極的に注文するほど、シイタケ君には惚《ほ》れていない。

先日、誰かが口ずさんだ言葉が耳に留まった。

「昔のニンジンは、こんな味じゃなかった。もっと臭みがあってえぐかったよ」

なるほど言われてみればそうかもしれない。昔の野菜はもう少し個性的な味をしていた。だから子どもが野菜嫌いだったのではあるまいか。正直なところ、子どもの頃に嫌いだったのは、シイタケをはじめとするキノコ類に限らない。給食によく出てくるニンジンやごぼう、タケノコなども、食べられないほどではないけれど、好きな野菜では決してなかった。大人になるにつれ、味覚が成長して好きになったわけではなく、実は野菜のほうが淡泊になり、あるいは甘味を増し、人に好かれやすい味に変貌《へんぼう》したのではあるまいか。そう思うと、少々つまらなくなってきた。なんだ、私が成長したわけではないのね。

でも、すべての野菜が、昔の味のほうがよかったのかどうか。そこらへんが疑問である。たとえばトマト。昔はこれほど種類が豊富ではなかった。プチトマトなんて、いつ頃から店頭に並ぶようになっただろう。フルーツトマトに至ってはさらに最近のデビューだ。ときどきイタリアンレストランなどで、サラダに入っている小ぶりのトマトを一口、食べたとたん、狂喜することがある。なんと甘い！　なんと果肉がしっかりしていて、みずみずしいことか！　普通のトマトと比べれば、少々お値段が張るのではありましょうが、こういうトマトに出会ってしまうと、野菜業界の技術革新、栽培方法の進歩、生産者の皆様の尽きせぬご努力に、ひれ伏したい気持になる。

トマトが嫌いな友達がいた。どうして嫌いなのかと尋ねたところ、

「子どもの頃、赤いものはぜんぶ甘いと思い込んでいて、きっと甘いにちがいないと思って食べたら、甘くなかった。そのショックから立ち直れない」せいだそうだ。気

の毒なことである。その頃、フルーツトマトが出回っていたら、彼はトマトを嫌いにならずにすんだかもしれない。

そもそもトマトの原産は南米のペルーのあたりと聞く。まさに今でいうプチトマトのような小ぶりのもので、新大陸発見後、さまざまな植物を本国に持ち帰ったヨーロッパ人によって、少しずつ世界に広まっていったそうだ。しかし、当初、トマトは観賞用の植物とみなされ、食用とは認知されていなかった。それを「ちょっと食べてみようかね」と思い立ったのがイタリア人。つまり、十六世紀以前のイタリア料理には、トマトは存在しないことになる。

「うっそ」と、私は以前、トマトの取材をしたとき、この史実を知って仰天した。トマトの入っていないイタリア料理なんて想像がつかない。基本的に、トマトとニンニクとアンチョビとオリーブオイルさえあれば、どんな料理もイタリア風になると思っているぐらいだ。

ときどき思い出して作る料理がある。白身の魚の切り身を買ってきて、ホイルの上に置く。さてそこで、どういう味付けをしようかとしばし考える。その日、気分がイタリアンであれば、最前申し上げたとおり、トマト、ニンニク、アンチョビを適当に魚の上に載せ、塩胡椒《こしょう》をパラパラ、オリーブオイルをタラタラ。ホイルで包んでオーブンで焼く。気分がチャイニーズであるならば、ニンニク、生姜《しょうが》、白髪ネギ、香菜《シャンツァイ》を載せ、醤油《しょうゆ》とごま油をタラタラ、ホイルで包んでオーブンへ。はたまた気分がフレンチの日は、レモン、タマネギ、パセリを載せ、塩胡椒をパラパラ、バターをポトンと落としてオーブンへ。どちらの国風にもなる簡単サカナ料理である。

トマトの嫌いなイタリア人って、いるのかしら。不幸だろうなあ。

韓国再発見　木の根っこ

仕事でソウルを訪れた。ソウルへは今までにも何度か行っているのでまったく知らない土地ではないけれど、何度行っても、誰かのお世話になりっぱなしで、地図を見たり自力で歩き回ったりしていないせいか、いっこうに地理感覚がつかめない。ははあ、たしかこの道は前にも通ったことがある、ほほう、この広大な川が漢江《ハンガン》だなと、車窓の景色にときおり反応できるぐらいだ。

でも、景色を眺めるうちに少しずつ記憶が蘇《よみがえ》ってきた。蘇るのは、もっぱら食に関することばかり。

初めて韓国を訪れたのは二十年以上昔である。到着したとたん、ソウル駐在のテレビ局ソウル支局長に案内されてお昼ご飯を食べに行った。もちろん、焼肉屋さんである。

「なんたってまず、本場の焼肉を食べたいです」「よし、連れて行ってあげましょう」。

そして私は生まれて初めて骨付きカルビというものに出会い、同時に韓国では肉をハサミで切ると知った。今や骨付きカルビも肉切りバサミも、本場韓国へ行かずして承知している日本人は多いだろうけれど、当時の私にとっては衝撃的だった。

「だいたい韓国では、日本の焼肉屋さんのような薄切りの肉なんてほとんど出てきませんからね」

支局長の解説を聞き、そうか、日本の焼肉屋さんのスタイルは「日本風」だったのかと認識した覚えがある。

遅まきながら今回の訪問で改めて気づいたのだが、本場韓国の方々は、「タン塩」というものを召し上がらないらしい。

「こちらの焼肉屋は、カルビはカルビだけ、モツ系はモツだけ、豚焼肉は豚だけという具合に、それぞれの肉や料理の専門店になっている場合が多いので、タンを食べないわけじゃないけれど、タン塩って、あまり食べません」

あら、そうなんですか。でも、タン塩好きの日本人は多いだろうし、そういう観光客はきっと私同様、本場韓国でこそタン塩を食べたいと望んでいるはずだ。「タン塩、ありますか?」と、どの日本人も同じ注文をするので、「まったくイヤになっちゃうよ」とこちらの焼肉屋さんは思っているのだろうか。

韓国料理は世界でいちばん野菜をたくさん使う料理なんだってよと、友だちに教えられたことがある。焼肉イコール韓国というイメージが強かった時代、最初にそう聞いたときはにわかに信じられなかったが、たしかに本国へ赴くと、見慣れぬ野菜を数多く目にする。ことに今回、市場を訪れたところ、日本の青果市場とは少々、趣きが異なる印象を持った。もちろん青菜や赤、白、黄色の野菜も豊富に並んでいるけれど、全体的に茶系の野菜の割合が高いように見える。土のついただいこん、朝鮮人参《にんじん》、生姜《しょうが》、なんだかよくわからないごぼうのようなもの……。ふと目の前に、野菜ジュースの店が現れた。大きなペットボトルに入ったジュースが二種類。緑色は、どうやら青汁らしき様子だが、隣の茶色い液体は、はたしてなんだろう。

「なんのジュースですか」

ジュース屋のおにいちゃんに尋ねると、

「飲んでみて。身体《からだ》にとてもいいよ」

そう言うが早いか、紙コップにたぷたぷたっぷり注いで差し出してくださる。一見、ロイヤルミルクティーのような色ではあるが、なんだか不気味。しかし興味深い。一口、舐《な》めてみる。ウッ、なんじゃこりゃ。苦いというか渋いというか土臭いというか、とにかく美味とはほど遠い。だからといって、死んでも飲めない味ではない。

「勘弁してくれ」

「うわ、たまらない」

同行諸氏がおしなべて拒否反応を示すなか、私は果敢にも、一気に飲み干した。飲んでみてから改めて尋ねると、それは「木の根っこのジュース」なのだそうだ。

「これを削ってミキサーにかけて作るよ」

ジュース屋の青年が示す指の先には、薪《まき》のような木のかたまりが積み上げられている。この木のエキスを飲んだわけ？　信じられない、アガワはなんでそんなものが飲めるんだ。まわりからさんざん呆《あき》れられてなお飲んでみせたのには理由がある。

実は、その旅の当初から私は風邪気味だった。喉《のど》が痛く、鼻の周辺が重苦しい。ここで風邪を悪化させると仕事がつらくなる。なんとしても引きかけのうちに治してしまいたい。そう思い、嫌というほどうがいを繰り返し、日本の風邪薬を仲間から奪い取り、トローチを舐め、首にタオルを巻き、取材で訪ねたマッサージ店にて「よもぎ蒸し」（よもぎのお灸《きゅう》のようなもの）を腹上に経験し、とにかく「身体によさそうな」ことはくまなく試してみた。と、そのときに出現したのが「木の根っこジュース」である。

その成果やいかに。あまねく試したために、どれが効いたのかわからないのだが、感覚的にはどうも、「木の根っこジュース」がよかったのではないかという気がする。その日の夜あたりから喉の痛みが和らいで、どことなく身体にエネルギーが蘇り、ついでに胃腸の動きもすこぶる快調となった。

「なるほど、そうか」と私は膝《ひざ》を打つ。ニンニクしかり、朝鮮人参しかり、そして木の根っこジュースしかり、生姜しかり。どうやら韓国の人々の健康の秘密は「土のなか」にあると見た。決しておいしくはなかったが、あの「木の根っこジュース」を買って帰ればよかった。

旅にはいつも、未練がつきまとう。

韓国とカレー

韓国でパン屋さんに入った。見たところ日本の町なかのパン屋さんとさして違いはない。棚には食パンやデニッシュが数多く並んでいて、トレイに載せて自分で選ぶ方式も日本と同じである。

なかに、カレーパンらしきものを見つけた。連日、ニンニクとキムチで口も胃袋もいっぱいになっていたせいか、久しぶりに見たカレーパンが懐《なつ》かしく思われた。

「よし、私、カレーパンと、パイナップルデニッシュにしよっと」

レジで会計を済ませると、テーブル席に移り、店内で食べることにする。ところがである。カレーパンが思ったほど、辛くない。かすかにカレーの風味はするものの、むしろ、ピロシキのような味である。

「ちょっと違うのね、こっちのカレーパン」

その体験を、その後、ソウル市内をガイドしてくださった日本語堪能《たんのう》の韓国青年、

チョロさんに話したところ、

「韓国ではあまりカレーは食べないですよ」

そういえばソウル市内でカレー屋の看板を見た覚えがない。

「僕、日本で初めてカレーの味を知りました」とチョロ青年はうれしそうに話してくれる。彼は日本を何度も訪れたことがあり、無類の日本食びいきである。どんなカレーが好きなんですかと尋ねると、

「どんなカレーも好きです。タイ風もインド風も。赤坂のタイカレー屋さん、おいしかったあ。でもいちばん感激したのは、ココイチのチーズカレー！」

そのとき私は「ココイチ」という店のことを知らなかったのだけれど、どうやらカレーのチェーン店らしい。チョロ青年のほうが私よりよほど日本の食べ物屋に詳しい。満面に笑みを浮かべ、「あんなおいしいカレー、韓国では食べられない」と断言なさる。

驚いた。どうしてこれほど辛いモノ好きの国民が、カレーに興味を示さないのだろう。キムチで辛さをじゅうぶんに満喫しているから、それ以外に辛さを求める気にはならないのか。それともキムチの匂《にお》いとカレーの匂いは共存できないのだろうか。

その話を帰国後、韓国出張四十回以上の経験を持つ友人に話したところ、

「そういえば、韓国でカレー屋は見かけないねえ」と言ってから、思い出したように話してくれた。

「昔、建て替える前の金浦《キンポ》空港の二階のレストランにはカレーがあったよ」

彼の話によると、日本のビジネスマンにとって、韓国出張の帰りに空港レストランでカレーを食べるのは、なによりの楽しみだったのだそうだ。

「いわゆる昔風の黄色いカレーライス。あれがうまかったんだよなあ」

しかし、空港が新しくなったと同時に黄色いカレーも消えたそうだ。いったいそのカレーは、日本人ビジネスマン向けに出していたのだろうか。そして、なぜ新しい空港では姿を消したのか。韓国カレーミステリーである。

カレーと中華料理はほぼ世界じゅう、どこへ行ってもお目にかかることのできる料理だと思っていた。ロンドンでは、インドカレー屋と中華料理店はいつも人で溢《あふ》れていたし、東南アジアを訪ねればそれぞれの国のカレーが存在し、アメリカの町でもチャイニーズとインディアンカレーの店はだいたい見つけることができる。

かつて一年間アメリカに住むと決め、ワシントンD.C.に居を構えたはいいが、一人暮らしの食生活をまずどのように始めればいいのかわからない。最初に仮住まいしたアパートメントホテルには簡単な台所がついていた。しかし車はないし、近くにスーパーがある気配もない。治安がどれほどのものかの見当がつかないので、無計画に歩き回るのも不安である。しかたなく、アパートのバルコニーから周辺を見渡して、女一人で安心して入ることのできそうなレストランの看板を探した。そして見つけたのである。

「インディアンカリーの店」

私はまっしぐらにその店を目指した。幸いテイクアウトのできる店だった。日本でも一人で外食するのは苦手である。まして言葉もままならぬ異国の地において、一人ポツンと席につき、カレーをすする姿は想像するだに恐怖と悲哀に満ちている。

「しばらくここへ通うことにしよう」

毎日一種類ずつ持ち帰って食べたとしても、一週間ぐらいは違うカレーを楽しめる。ガラスケースの中に並ぶさまざまな種類のカレーを眺めているうちに、私は元気が出てきた。この国で、なんとか生きていけそうな気がしてきたのである。

今、住んでいる家の近くに、インドカレーのテイクアウト専門店がある。いつ訪れても、間口一間ほどの小さな店の奥のキッチンでご主人と奥さんが黙々とカレーを作っている。扉を開けると奥からご主人が出てきて、決して愛想がいいとは思えぬ顔で、「エビカレーは売り切れました」と、その日、用意のないカレーの説明だけして、黙って立っている。

「ええと、じゃ、チキンカレーと……、野菜カレー……」

注文をするたびに、ワシントンに移り住んだ当初の日々を思い出す。カレーは人を元気にさせる。買わずとも、カレーの香りに満ちたその店の前を通り過ぎるだけで、みるみるエネルギーが湧《わ》いてくる。お世話になったチョロ青年が、次回日本を訪れた折は、是非ともこの店のカレーを食べさせてあげたい。

パブロフの蕎麦《そば》

蕎麦屋でなにを食べるか即座に決められる人を、私は偉いと思う。偉いとは思うが、同時につまらなくないだろうかと余計な疑念を抱いてしまう。

「俺はいつも天ざると決めてるんだ」

ほほう、活《い》きがいいですな、おにいさん。でもおにいさん、他にも魅力的なメニューが数々ございますですよ。そちらを食べてみたいとは思わないですか？　即決の人を見かけるたび、私は問いたくなる。

もちろん私は迷うほうだ。大いに迷う。かなり迷った末に、いつもたいてい同じものを注文することになり、その結末を長年の経験によって自覚しているにもかかわらず、とりあえず迷う。

迷いの推移はおおかたこうである。まず、冷たい蕎麦にするか、温かい汁蕎麦にするか。よく冷えたざるをツルリといってみたい。が、それだけでは物足りない。ざるを一つと温かい蕎麦を一つ。そういう手もある。しかしそんなに食べられるだろうか。天ざるなら、アツアツの天ぷらを冷たいツユにつけて冷たい蕎麦が食べられる。お、季節モノの蕎麦もあるようだ。柚子《ゆず》蕎麦か。うーん、いい響きだ。

「ご注文は？」

促され、

「あ、鴨《かも》南蛮にします……」

口から出るのはたいていこの台詞《せりふ》である。

私は鴨と葱《ねぎ》と蕎麦というトリオの響きにめっぽう弱い。せっかく蕎麦屋に来て、この三種の顔を見ずして帰ることができるだろうか。長い年月、私は鴨南蛮の呪縛《じゅばく》から抜け出せぬままに生きている。

私の友達に背の高い女優がいる。背が高いせいか女優という商売柄か理由は知らねども、蕎麦屋の決断については抜きんでたスピード保持者である。遠い昔、さる殿方と蕎麦屋で待ち合わせをしたという。先に到着した彼女は文庫本を読みながら待つ。そこへ彼が到着。

「えーと、なににしようかなあ」

殿方はメニューの札を眺めながら考えた。彼女はじっと待った。さあ、決まるか、まだ決まらぬか。彼がどれほど迷ったのか、その場にいなかった私は知らないが、まさか一時間待たせたわけではあるまい。にもかかわらず、彼女は突如、立ち上がった。文庫本をバッグにしまい、そして店を出た。大胆にも、帰っちゃったのですね。

「蕎麦屋に入って迷うなんて信じられない。男ならそれくらい決めてから蕎麦屋に入るのが常識でしょ」

私は彼女の友である。しかし私は殿方に同情した。

「ひどくないかい？　帰るなんて」

私は彼女の友である。が、なるべく一緒に蕎麦屋には入らないよう心がけている。かくいう我が友が、蕎麦屋に入ってなにを選ぶか。最近はやや成長した気配が見られるけれど、これがまた一途《いちず》なのである。

「女優になってまもない頃、撮影所の近くのお蕎麦屋さんで、なにを選んでいいかわからなかったの」

解説すると、彼女はそれまで蕎麦屋というところに入ったことがほとんどなかったのだそうだ。父上が料理上手だと娘は外食に関して世間知らずに育つものらしい。周辺を見渡して、他の客がなにを食べているのかしばし観察した。そして見つけたものが、たぬきうどんだったという。

「それ以来、蕎麦屋に入ったら、たぬきうどんしか頼めない。他に食べたいものがないわけではないけれど、知らないから怖くて頼めないの」

恋人を捨て置いてさっさと帰ることのできる剛胆な女優は謙虚にも、生涯の半分をたぬきうどんとともに過ごしてきたわけだ。理解に苦しむ友である。

先日、久しぶりに新大阪駅地下街の『美々卯《みみう》』に立ち寄った。『美々卯』は東京にも何店舗かあり、実際に行ったこともある。が、ここ新大阪駅地下の『美々卯』では、東京の『美々卯』とひと味ちがううどんすきが食べられる。そのことを発見したのはだいぶ昔のことで、以来、新幹線に乗る直前に余裕があると『美々卯』でうどんすきを食べるのが楽しみの一つになっていた。

その日も女三人、意見が一致して、

「ご注文は？」

「うどんすきを……」

ところが、腰を降ろしたカウンター席ではうどんすきの鍋《なべ》を設置できないとの返答。

店内はほぼ満席で移動も不可能と思われた。

「じゃ……」

各々《おのおの》改めてメニューを見直す。

「私、きつねうどんにします」と一人。

「そうよね、大阪だもん、私もきつね」ともう一人。そこで私は迷った。そうだね、大阪だもん、きつねかなあ。しかし……と、そこで鴨南という文字が目に止まる。

「えーと、じゃ、私は鴨南……」

「うどんにしますか？　それとも蕎麦？」

仲居さんに問われた私は反射的に応《こた》えた。

「蕎麦！」

過《あやま》ちに気づいたとき、注文はすでに厨房《ちゅうぼう》に伝わっている頃であった。今さら変更するのは申し訳ない。しかしなぜ私は蕎麦と言ったのか。いやしくもうどんの名店ではないか。しかも本場大阪である。蕎麦を食べるバカがどこにいる。

手元に運ばれてきた鴨南蕎麦は、それなりにおいしかったけれど、心の底から悔やまれた。迷いに迷った末のパブロフの犬である。鴨南と聞くと、どうしても思考は「蕎麦」に直結するのであった。

季節はずれチキン

　ある春の日、仕事仲間の若い女の子（といってもじゅうぶんに大人だが）が誕生日を迎えたというので、「何か欲しいものある?」と尋ねたら、最初は謙虚に「いいですよ、お気遣いなく」と遠慮していたのだが、「そんなこと言わないで。何かお祝いいたしましょう」としつこく迫った私の顔を見つめ、思い出したようにニヤリと笑うや、遠慮がちながらきっぱり言い放った。

「では、ローストチキン!」

　実は前年のクリスマスに彼女を含めた仲間数人を拙宅に招待し、自家製ローストチキンを振る舞ったのであるが、彼女は仕事の都合で直前に来られなくなった。その悔いが残っているらしい。パーティ翌日、たまたま彼女に会うことになっていたので、前夜、食べ残したローストチキンを保存容器に詰め込んで持っていってあげたところ、「冷めてもおいしいですぅ」とたいそう喜んでくれたのち、

「是非、次回は焼きたてを食べたいです」

「じゃ、来年のクリスマスに焼いてあげましょう」

約束を交わしたのだが、クリスマスまで待ちきれないということか。そんなに食べたそうな顔をされては、私もうれしくなるというものだ。食べ物の恨みは人を急《せ》かし、食べ物への意欲は人を容易に動かす。

「わかりました。お安い御用です」

さっそく他の仲間も数人誘い合わせて、急遽《きゅうきょ》ローストチキンの夕べが開催されることとなった。

自慢じゃないが、私の焼くローストチキンはおいしいぞ。もちろんチキン自体を吟味することが大事ではあるけれど、さほど上等の鶏肉《とり》を購入するわけではない。ごく普通の肉屋さんで、ビニール袋に入った鶏一羽分を買ってくるだけである。むしろ味のポイントは、鶏のお腹《なか》に詰め込むスタッフィングにあると思われる。スタッフィングこそ、鶏肉の味をいやがうえにも引き立てて、肉質を驚くほどジューシーに仕上げるのだ。

作り方は以前、他でも書いたことがあるが、ここまで「おいしいぞ」と自慢しておいて、本当に作れるのかしらと疑っている向きもおられることと思い、あえてふたたび明記することにいたしましょう。

まず鶏一羽分。一キロで三、四人分。その日は来客七人だったので二キロの鶏を買った。

鶏のレバー。ニンジン。さつまいも。タマネギ。セロリ。リンゴ。干しぶどう。栗《くり》の甘煮(なくても可)。パン。そんなものかな。まあ、基本的なスタッフィング理念としては、森の幸をふんだんに入れるということであるからして、何でも好きな野菜を入れればいいのだと思うが、私がとくに欠かせないと信じているのは、リンゴ、干しぶどう、タマネギ、レバーであろう。この、こんなものを混ぜるの? という異様なる組み合わせが、炒《いた》めるにつれてなぜか、クリスマス独特の匂《にお》いと化すのである。

まず鶏のレバーは血抜きをして適当に細かく切っておく。野菜類は、すべて賽《さい》の目切り。それらを油で炒めて、軽く塩胡椒《こしょう》で味付けする。分量は各自で考えてください。私はこのスタッフィングをいつも多く作りすぎて、とうてい鶏のお腹に入り切らず、後何日もおかずにして食べるはめとなる。

いっぽう、鶏は軽く水で洗い流しておく。そして空っぽのお腹に、先に炒めたスタッフィングを、これでもかと思うほどぎゅうぎゅうに詰め込んでいく。首の穴と、お尻《しり》の穴と、両方からぎゅうぎゅうです。みるみる鶏は膨らんで、まるで妊娠九ヶ月の妊婦のお腹のごときまるまるした形状になったら、スタッフィングがはみ出さないよう、口を凧糸《たこいと》で縫いつける。その際、針は革細工用などの太いものを使うと便利である。

まるまる肥えた鶏の表面に塩胡椒を振りつけ、いざ、オーブンへ。鉄板に薄く油を敷き、くず野菜（ニンジン、セロリ、ジャガイモ、タマネギなど）を散らし、その上にドーンとまるまるチキンを正座させる。その可愛《かわい》らしい姿を見るだけで、胸ときめいてくること間違いなし。

最初は百六十度から百七十度ほどの温度で一時間。後半に少し温度を上げ、表面にほどよい黄金色の焦《こ》げ目がまんべんなくつくよう、ときどき位置を変えたり、鉄板にしたたり落ちた油をスプーンですくって表面にかけたりして工夫する。二キロの鶏の場合はもう少し時間がかかるが、焼いてみないとわからないので、これも各自で判断してください。どう判断するかって？　たとえば包丁でかすかに切り目を入れ、中の肉がまだピンク色をしていたら、もう少し焼いたほうがいいですねって程度の判断力である。料理は経験。マニュアルではない、と言っておこう。

ときは春爛漫《らんまん》。こんな季節に家中に溢《あふ》れる匂いはクリスマス。なんだか不思議な気持だが、そこがまた、妙にいいのである。季節はずれに季節ものをいただくというのもちょっとした贅沢《ぜいたく》だ。ローストチキンを年に一度しか食べてはならぬという法律はない。年に一度だからこそおいしく感じられるという考え方もあるけれど、年に二度食べても、おいしいことを、このたび思い知った。そうだ、お餅《もち》だってお正月にしか食べないが、それではお餅がかわいそうである。今度は是非、真夏にお餅を焼いてみよう。ひと味違った味わいを楽しめるかもしれない。

二キロのローストチキンは七人のハイエナ乙女たちにより、あっという間に骨だらけになった。

「ああ、おいしかった！　次回は、アガワさん自慢のローストビーフをお願いします」

料理人はこういうおだてにめっぽう弱いのである。

とりあえずビール

蕎麦《そば》屋さんに入って席についたら、隣の席から通る声できっぱりと、

「とりあえず、ビール」

注文する女性客の声が聞こえてきた。チラリと視線を向ければその年配の女性に連れはなく、でも店とは馴染《なじ》みらしく、仲居さんと親しそうに話をしている。その会話の流れのなかで、「とりあえずビール」という言葉が響いたのだった。

おお、と、私は感心した。これほどさっぱりすっきり言われると、ビールもさぞやうれしかろう。

かねがね私は、この「とりあえず」という接頭語をビールの上につけないよう心がけてきた。「とりあえず」ってことはないだろう。「とりあえず」という言葉には、「不十分。必ずしも満足していない」という意味が含まれる。ビールでは不満だが、

他にないからしかたがない、あるいは、本当に飲みたいお酒は他にあるが、まっ、ビールでもいっか。そんな気持でビールを飲むのは失礼だ。そう叱《しか》られて以来、言うのをはばかってきた。

しかし私の心の中の「とりあえず」は、「まず」「最初に」という意味合いが強い。なんたって最初はビールでしょ。忙しかった一日の仕事をすべて終え、あるいはさんざん汗を流し、喉《のど》をカラカラにして、でも水もお茶も飲まずに我慢して、やっとこの瞬間を迎えたのである。この喉の渇きを潤《うるお》す手だてといえば、ビール以外に考えられない。とにかく早くビールが飲みたい。ギンギンに冷えたビールで喉を潤したい。その渇望《かつぼう》のあらわれが、「とりあえずビール」という言葉に凝縮されている。と、秘《ひそ》かに思う気持があったのだけれど、「そりゃ失礼だ！」という意見に圧倒されて、長らく遠慮していた。しかしこのたび、くだんの女性のすがすがしい声に勇気づけられた。よし、今度から、堂々と言っちゃうぞ。

「お酒はなにがいちばんお好きですか？」

聞かれると、なんと答えてよいものかと戸惑う。

「なによりこれが好きというものはなく、食べるものによって決めることが多いですね」

お寿司《すし》や天ぷらなら日本酒か焼酎《しょうちゅう》。洋食系ならワイン。中華料理の場合は紹興酒。基本的に、料理と同じ出身地のお酒を選ぶようにしている。が……、とここで思い出したように必ず付け加える。

「でも、最初はビール！」

そう答えるときの気持を喩《たと》えるならば、『ローマの休日』のオードリー・ヘプバーンの心境である。

「各国を訪問なさって、いちばん印象に残った街はどこですか？」

記者会見場で質問を受けたオードリー・ヘプバーン演じる王女は、

「いずれの国も素晴らしく……」

答えかけ、ふと、つかの間の恋に落ちた新聞記者、グレゴリー・ペックと目が合うと、毅然《きぜん》とした面持ちで言い直す。

「ローマ。ローマがもっとも印象的でした！」

そのせつなくも美しい彼女の笑顔を思い浮かべつつ、私は返答するのである。

「ビール！　とりあえずビール！」

ただ、私にとってビールはあくまでも、最初の一杯にかぎる。ビールばかり飲み続けるとお腹《なか》が膨れて、感激は徐々に薄れていく。それなのに、どうして最初の一杯は、あれほどおいしく感じられるのであろうか。

ついでに言えば、ビールはなんたってよく冷えていることが大事だ。先日、自宅でビールを飲もうと思ったとき、思い立ってグラスを冷凍庫に入れてみた。一緒に飲もうと約束した友が到着するまでしばらく時間がある。ならば待つ間にグラスを冷やしておきましょう。こうして友が遠方より来たる折、

「疲れたでしょう。さあさ、まずはビールを」

冷凍庫から、白い霜に覆《おお》われたグラスを取り出して、そこへ冷えたビールを注ぎ、差し出した。もちろん自分の分も注いで、いざ「乾杯!」。グイッと飲み干したとき、

「ウヒイ!」

思わず互いの口から出た言葉は、

「グラスが冷えてると、またいっそうおいしいですなあ」

ビール本来のおいしさを味わうのであれば、冷えすぎはよくないと、これも誰かに教えられたことがある。そうか、冷えてりゃいいってものではないのねと、そのときも反省し、ほどよく冷やすことを念頭に置いていたけれど、これもこのたび撤回する。

ビールはグラスごと、ギンギンに冷えているのが好きであるぞ!

さらに言えば、ビールの泡問題。

「そんなに泡を立てて、どうするの」

私がビールをグラスに注ぐたび、たしなめられるのは泡の立て方である。私はいつも、全体量の三分の一近くを泡にする。そうすれば、同席の人々全員のグラスが満たされて、「それでは乾杯!」というときに、だいたいちょうどいい泡の分量になっている。しかも上層部の大きな泡が消え、小さな泡だけが残ってちょうど飲み頃になっているからだ。が、世の中の多くのビール好きは、ビールを注ごうとすると、グラスを斜めにし、なるべく泡が立たないようにして、最後にお愛想程度の、すなわち全体量の八分の一ほどの泡を残す。これでは乾杯の段になったとき、泡が完全に消えてしまう。

「泡のないビールなんて、ビールじゃない!」

心の中で叫ぶのだが、泡問題に関してはあまり賛同を得られない。皆様は、どう思われますか?

半熟時代

最近、レストランのメニューに「温泉玉子」の文字を目にすることが多い。「サラダ菜とクレソンのサラダ、温泉玉子添え」とか、「アスパラのバター焼き温泉玉子載せ」とか、「温泉玉子付き海鮮冷麺《れいめん》」とか……。中華、イタリアン、和食、洋食の東西を問わず、めったやたらに温泉玉子が料理業界を席巻《せっけん》しているかに見える。そして情けないことに、この「温泉玉子」という字を見つけるや、主たる料理がなんであろうとも、「あ、それ、食べたい！」という衝動にかられるのである。

なんだろう、この「温泉玉子」病は……。

しかし、この病気にかかっているのはどうやら私だけではなさそうで、周辺にもかなり多くの感染者がいると見た。

どうしたのだろう、この「温泉玉子」威力は……。

温泉玉子などというものがこれほど全国的な知名度を獲得したのは、比較的最近のことと思われる。少なくとも私が子どもの頃は、温泉玉子なんてなかった。あったかもしれないが知らなかった。知っていたのは半熟ゆで玉子ぐらいのものである。

ここで、半熟ゆで玉子と温泉玉子の違いについて考えてみたい。しかし温泉玉子は黄身も白身も半熟ゆで玉子は、黄身が半熟でも白身はかたい。しかし温泉玉子は黄身も白身もドロンと半熟だ。さらに細かく分析すると、半熟ゆで玉子の黄身は、隅から隅までドロンとしているわけではなく、ときどき白身に近いところがかたくなっていたりする。一方、温泉玉子は黄身も白身もあらゆるところがドロンとしている。むしろ黄身より白身のほうがドロン度が高い場合もあるくらいだ。ここらへんが温泉玉子の魅力と言えよう。玉子を割ったとき黄身と白身が一緒にドロンと流れ出す瞬間。殻とさっぱり決別する潔《いさぎよ》さ。あの感覚がなんともたまらない。

「ドロンがお好みなら、ポーチドエッグっていうのもありますよ」

我が秘書アヤ嬢が新たな見解を示した。

「なんじゃそりゃ」

「沸騰《ふっとう》したお湯にお酢をチラリと垂らして、そのなかに生の卵を割り入れてできる、黄身のまわりに柔らかい白身が覆《おお》っている状態の玉子料理のことです」

「つまりそれ、殻のついていない温泉玉子ってこと？」

「まあ……そうとも言えるような……」

「じゃあ、上手にできたかどうか殻から出すまでわからない温泉玉子より、ポーチドエッグを作ったほうが簡単ってこと？」

「それがですね、難しいんです」

ちょうどいい具合に白身が黄身を覆って丸くまとまることが少ないのだそうだ。

たしかに玉子料理は全般的に、絶妙なる黄身と白身の柔らか具合を維持させるのが難しい。ちょっと油断すると黄身が固まりすぎたり、柔らかすぎたり。几帳面《きちょうめん》な人は、温度計とタイマーを握りしめて化学実験のように正しく作るのかもしれないが、私はそういう律義《りちぎ》な性格を持ち合わせていないので、玉子料理はときによって出来が大いに違ってくる。

先日、半熟ゆで玉子を作ろうと、片手鍋《なべ》に生の卵を二つ入れ、沸騰したら二分半くらいで取り出すつもり（かつて知り合いのアメリカ通に、「アメリカでゆで玉子を注文する際、固ゆでが欲しいときは『ハードボイルド』、半熟が好みなら『トゥー　アンド　ハーフ　ミニッツ』と注文しなさい」と教えられ、以来、二分半が半熟の目安だと信じている）でいたところ、気がつけばもはや出かける時間が迫っているではないか。しかたあるまい。卵の入った鍋の火を消し、そのまま放置して出かけた。その夜、帰宅して、もはやとっくに冷めた鍋の水のなかに沈む卵を取り上げ、殻をむいて割ってみたところ、なんといい具合の黄身と白身の柔らかさ加減かな。かつてないほどの傑作半熟玉子なのである。どうやら早めに火を消して、お湯のなかに半日、放置したのがよかったらしい。そうか、こういう方法があるか。とは思ったものの、二度とその「早め」火消しも、「放置」時間も、再現することはできない。料理は一期一会《いちごいちえ》。二度とあの絶妙半熟ゆで玉子に出会うことはないであろう。

ところで私は「ポーチドエッグ」は知らなかったけれど、「リーチ玉子」は知っている。

「なにそれ、知らない」

誰に話しても素っ気ない答が返ってくるのが不思議でならない。私は「リーチ玉子」を子どもの頃から食べていて、どの家庭にも、この「リーチ玉子」用素焼きカップがあるものだと思っていた。ちょうどコーヒーカップぐらいの大きさの、素焼きに赤茶色と玉子色の釉薬《ゆうやく》で色づけされた素朴な蓋《ふた》付き取っ手付きソーサー付きの陶器である。カップのなかにバターを落とし、火にかけて(網の上においてもよし、直火もよし)バターが溶けたら卵を一個、割り入れる。弱火でコトコト。上から塩胡椒《こしょう》。まもなく白身が固まって、続いて黄身にも火が通り、クツクツ言い出したら蓋をして火を止める。ガスから降ろし、ソーサーに載せて食卓に供し、蓋を開けるとちょうどいい具合の、いわば半球状半熟目玉焼きの出来上がり。そのまま、スプーンですくって召し上がれ。

もともとこの料理、日本で活躍した陶芸家のバーナード・リーチの発想によって生まれたので「リーチ玉子」と呼ぶのだと、ずいぶん昔に聞いた覚えがあるけれど、定かな記憶ではない。いずれにしても、半熟ゆで玉子よりずっと成功率高く、クックッ煮立つ半熟を楽しめる。

スイカのすみか

千葉に住む友人からスイカが届いた。巨大な丸ごとスイカが二つである。宅配便のおにいちゃんも驚くほどの重さだ。最初はなにが届いたのかわからなかったので、四角い段ボール箱を「はい、ご苦労様」と軽い気持で受け取ろうとしたところ、「ダメダメ、とても重くて持てませんよ」

おにいちゃんは苦笑しながら玄関の床によいこらしょっと置き、汗を拭《ふ》き拭《ふ》き帰っていった。

表書きを見てみれば、「スイカ」とあるではないか。さっそく封を切り、なかを覗《のぞ》くと、おお、なんというみごとな盛夏の風物詩。直径三十センチはあろうかと思う濃い緑色に黒シマシマ模様入り球体の健康的な美しさかな。思えば久しくこんなに大きなスイカ丸ごとのお姿を間近に見たことはなかったぞと、改めて感動した。

しかしはて、これをどうしたものかいな。このままではとても冷蔵庫に入らない。

ならばバケツに入れて氷水に浸すか。と言ってみたところで、バケツがない。まさかバスタブに浮かべるわけにもいかず、

「ちょっとそこでお待ちくださいね」

スイカに言い聞かせてしばし考えることにする。

バカだねえ、アガワは。切って冷蔵庫に入れればいいだけのことじゃないの。多くの方がそう思っているだろう。実際、友だちにも冷ややかに言われた。切れば入るでしょうと。それはたしかにそうであろうからして、翌日に意を決し、切ってみることにした。が、これがまた大変なの。なにしろ重い。試しに体重計に載せたところ、一つ四キロだ。四千グラムですよ、四千グラム。新生児の平均体重よりずっと重いということだ。これを両手にしっかと抱き、まな板の上に載せるだけでひと仕事である。ようよう載せて、転がり落ちないように左手で支え、転がり落ちたら足の指を骨折するだろうと怯《おび》えつつ、右手に包丁を握り、スイカの中央に向けてグサリと一刺し、刃を突き立ててみると、そのまま包丁が動かなくなった。あら抜けない。どうするの。こういうときは慎重に。焦《あせ》ると怪我《けが》をする。ゆっくりゆるゆる包丁を動かして、ささやかに移動。するとまた、動かない。あら困った。ゆるゆるゆっくり。この動作を何度か繰り返すうち、突如、バリッと音がする。地殻変動が起こったかと思うようなバ

リッ！ ミシミシメリメリ……パカッと突然、スイカが二分割された。おっとここで半球状になったスイカを支えないと、まな板から落ちるぞ。慌《あわ》てて包丁を手放し、両手で二分割スイカを抱きとめたときの気持は、桃太郎誕生の瞬間に居合わせたおじいちゃんおばあちゃんの驚愕《きょうがく》と似ていたのではないか。

さて、出《い》でましたるは、桃太郎ではなく、真っ赤な果肉。その魅力的な色に勢いをつけられて、さらに分割、端っこを小さく切り落とし、かぶりつくと、まあ、こんなに甘くてみずみずしいスイカは初めて食べたと思うおいしさであった。

正直なところ、私は子どもの頃からさほどスイカが好きではなかった。海水浴場でスイカ割りをしたあとのスイカを配られて、ところどころに砂がついていて食べにくかった思い出があるせいか。種を除きながら食べるうち、手がべとべとになって気持が悪かった記憶があるせいか。あるいは「塩をつけて食べなさい」と言われ、上から塩を振ってみたものの、甘いのかしょっぱいのかよくわからない味になり、その時点で「あんまり好きじゃない」と頭にインプットしたせいか。大きな声で言うと「この贅沢《ぜいたく》もの！」と叱《しか》られそうで言いにくいけれど、「本当はメロンのほうがずっと好き」と、子ども心に長らく思っていたのは事実である。

でも、このたびの到来物スイカは格別であった。私のスイカイメージを一変させるにあまりある甘さである。こりゃおいしい！

だからといって独り占めできる大きさではない。分割してみたところで、相変わらず冷蔵庫には入らない。とりあえず四分割にしたスイカ二つ（つまり一個の半分）を野菜室に押し込んだら、それまで居心地良さそうにしていたニンジン、長ねぎ、キュウリ、サラダ菜たちが、みるみる押しつぶされそうになり、トマトは完全に、つぶれた。

これ以上、他の野菜どもを苦しませるわけにはいかない。冷蔵庫に入りそびれたスイカを、まずは同じマンションに住む友だち夫婦に半分、マンションのフロント・スタッフに半分、四分の一分割を我がアシスタント嬢に分ける。それでもまだ手元には四分の三のスイカ君が残っている。さらにお裾《すそ》分《わ》けしたい人が思いつかないわけではなかったけれど、ちょっともったいない。こんなにおいしいスイカには滅多にお目にかかれるものではないだろう。冷蔵庫のあちこちを都合させ、はみ出したスイカを無理やり押し込んだ。

このケチ根性がいけなかった。知らなかったのだ。スイカは新鮮なうちに食べないと、瞬《また》く間に味が落ちるということを。一日、そして一日。甘味は刻一刻と、みごとに落ちていった。

しかし私の冷蔵庫の野菜室にはまだ、1DKのアパートにホームステイしているKONISHIKIのような巨大なスイカが、「早く食べてくれ！」と唸《うな》っている。だから今、私はスイカと闘っている。朝、起きるや冷蔵庫を開けて、「なにを飲もうかなあ」と思うたびに、「いかん、いかん。水分補給はスイカだろが」と自らを叱りつける。おかげで私のお腹《なか》はスイカ腹。みずみずしい夏の一日が今日も始まった。

孤独なホヤ

千葉のスイカに続き、今度は岩手県宮古《みやこ》市の知人から、毎年恒例のホヤ貝が送られてきた。知人の斉藤おじさんとは十年来のおつき合いである。十年前、初めて宮古を訪れて、斉藤おじさんのご接待の席にて初めておいしいホヤ貝に出会った。

「うわ、おいしいですねえ」

実はそれより数年前に東京の居酒屋でホヤ貝なるものを食し、こりゃ苦手だと思ったのであった。好き嫌いのほとんどない私であるが、さすがにその居酒屋で食べた初ホヤ貝の生臭さには閉口した。その瞬間、以後「嫌いなものは何ですか？」と問われたら即、「ホヤ貝」と応《こた》えようと心に決めた……はずだったのだが、宮古でいただいたホヤ貝の、それまでの印象を一気にくつがえすほどのセクシーな味わいに思わず唸《うな》った。

「へえ、ホヤ貝って、こんなにおいしいもんだったんですか」

鮮度によって、これほど味が違うものとは思わなかった。私は興奮し、興奮したまま何度もホヤ貝を口に運んでじっくり味わった。それを見ていた宮古の斉藤おじさんが、「そんなに喜んでくれるなら」と、以来十年間、律義《りちぎ》にも毎年欠かさず新鮮なホヤ貝をクール宅配便で届けてくださるのだ。有り難い。

しかし、最初に届いたときは驚いた。発泡スチロールの箱を開け、氷水のなかでゆらゆら揺れ動く不気味な物体は、喩《たと》えて言うなら、濃いオレンジ色をしたフグのようなナマコのような、はたまた巨木の根っこに付着したコブのような、巨大な松ぼっくりのような……、とにかく見るからに異様な形状。勇気を出して触ってみれば、ブヨブヨしていてザラリとしていて、硬くて柔らかい微妙な感触。この、宇宙人の頭のごとき物体の、いったいどこをどう切って食べればいいのかわからない。はて、どうしましょう。

そこでふと思いついた。ご近所に青森出身の奥様、イノマタ夫人がいらっしゃる。お料理がたいそう上手で、手製のお菓子をいただいたこともある。北の貝であるホヤだから、もしやあの方ならご存じかもしれない。

さっそく電話して、コトの経緯を説明したところ、「あら、ホヤ貝⁉」とまずは歓喜の声をあげ、

「それは食べ方を教えてあげましょう」

私はすぐにホヤを抱えてイノマタ家の台所へ馳《は》せ参じた。

「まずこの出水管と入水管を包丁で切り落とすの」

と、これが意外に硬くてなかなか切れず、ようやく切れたと思ったらたちまちなかから水が溢《あふ》れ出た。

「あ、その海水を捨てないで。これがおいしいんだから」とイノマタ夫人。

「え、この貝のなかから出てくる水が……？」

少々不気味と思いつつ、貝の管からしたたり落ちる海水を小皿に受ける。水を出し切ったホヤ貝は、空気の抜けた風船のようにしょぼくれた。するとイノマタ夫人、今度はしょぼくれ風船を包丁で縦に二分する。と、みるみる中身があらわになり、出《い》でましたるは、赤貝のような鮮やかなピンクオレンジ色をした身の部分である。

「うわー、ここを食べるわけですね」

不気味さが払拭《ふっしょく》され、ワクワクする。

「殻から取り出して、内臓や消化器を取り除いて、細かく切って、さっきの海水で洗って。そのあと三杯酢につければ出来上がり」

こうしてめでたくホヤ解体術をイノマタ夫人にご指南いただき、お礼に新鮮ホヤを二個ほど差し上げて、帰宅し、自ら実践する。貝のなかの塩水を飲むことだけはこっそり省略し、刻んだホヤを酢、酒、醬油《しょうゆ》、生姜《しょうが》につけ込んでガラス瓶に詰めたのが一年目。毎年、この季節になると、斉藤おじさんのホヤが届くのは、秘《ひそ》かな楽しみになっている。が、だが……、だがだが。鮮度の高いうちに調理して、ホヤのおいしさを多くの人に知ってもらいたいと、今までずいぶん「いらない？」と声をかけてきたのだが、

「ホヤ貝？　いらない」

「ああ、ホヤ貝は苦手なんだよ」

「うわ、なに、この味……」

驚くほどの不人気ぶり。私のまわりに東京以西の人間が多いせいか、誰もがにべもなく拒否反応を示す。もはや引っ越しを繰り返し、ホヤ好きイノマタ夫人とも家が離れてしまった。いくら酢に漬けてあると言っても、鮮度が勝負のホヤ貝を何日も経《た》ってから人様に差し上げるのは失礼であろう。都合のいいタイミングにホヤ好き人種を探り当てるのは、なかなか難しい。

誰よりも身近で分けやすい人間が、我がアシスタントのアヤ嬢なのだが、彼女もまた、ホヤ苦手組の一人である。食べることに対する情熱は、結婚への情熱よりはるか

に高いと思われるアヤ嬢なのだが、ホヤ貝クール宅配便が届くときに限っては、

「そのまま冷蔵庫に入れてありますので。中は怖くて確認できません」

まるで怪物に襲われる寸前のお姫様のごとき怯《おび》えた様子で目をそらす。

「たしかに外見は不気味だけれど、味はいいのよお。たまらなくおいしいよお」

どんな甘言を駆使しても、頑として乗ってこない。かわいそうなホヤちゃん。あなたの魅力を理解できるのは、醜さの奥に隠れた真の価値を見抜く力のある限られた民のみ、たとえば私ぐらいのものなんでしょうなあ。私は今日も冷蔵庫を開けて、瓶詰めにしたホヤの酢漬けを細々とつまむのであった。

タマネギひとつ

ここにタマネギがひとつある。はて何を作ろうか。

タマネギはあるけれど、タマネギ以外の野菜がない。そういう場合、即、思いつくのはオニオングラタンスープである。オニオングラタンで大切なことは、ひたすらタマネギをスライスし、スライスしたタマネギをひたすら炒《いた》め続けること。その労さえ惜しまなければ決して難しい料理ではない。

今どきスライスなんて簡単にできる調理道具がいくらでもあるじゃないの、あれを使えば楽よと、人には言われるし、たしかに台所の抽斗《ひきだし》を探れば、私もその手のスライス用道具を持っていたような気がしないわけではないけれど、でも私はなんとなく包丁を使い、そして案の定、目の奥が痛くなる。ああ、もうダメだと、包丁を放り出し、涙の溢《あふ》れる目をぎゅっとつむり、闇雲《やみくも》にタオルを求めて台所から走り出す頃、後悔する。スライス器を使えばよかったと。

しかし、この労苦あってこそ、おいしい料理が完成するのである。と思っていつも自らをなぐさめる。実際、スライスしたタマネギをフライパンで炒めるうちに漂ってくるあの独特の香りはたまらない。白いタマネギが透き通り始め、しだいに茶色くなっていく。しんなりねっとり重みを増したタマネギの油炒めは、それだけでじゅうぶん、おかずになりそうだ。でもまだですよ、まだ。もう少し焼き色がつくまでしっかり炒めましょう。とくにオニオングラタンスープの場合、ここで妥協は許されない。だんだん腕がだるくなる。でも我慢する。ちょっと炒めることに飽きてくる。しかしじっと堪える。そしてこれ以上炒めたら焦《こ》げくさくなるだろうという寸前に、上からジュワッと水を注ぐ。本当は鶏《とり》ガラスープが望ましいけれど、用意がない場合はコンソメのキューブなんぞを落とせばよい。あとは煮詰めて塩胡椒《こしょう》で味を調《ととの》え、飲み残しの白ワインなどがあったらそれも少し加え、最後に小さなキャセロールに入れて、フランスパンを一切れとバターを一かけらに粉チーズをたっぷりのせて、オーブンで表面がカリカリになるまで焼けば出来上がり。と、これがアガワ流簡単オニオングラタンスープであるけれど、実のところ、この段階までくると、出来上がった喜びとともに、かすかな未練が湧《わ》いてくる。

あの、炒めていたときのタマネギが魅力的だったなあ。

昔、母がクリームコロッケを作ってくれたときにも同じことを思った。母のクリームコロッケは、牛の挽肉《ひきにく》とタマネギとホワイトソースで作る。まず深めのフライパンに油を敷き、ニンニクを少し入れて挽肉を炒める。その上にタマネギのみじん切りを加え、塩胡椒で味をつけ、さらに炒める。それを、別鍋《なべ》で作っておいたホワイトソースと合わせて冷蔵庫で冷やし、適度に固まった挽肉入りホワイトソースを俵型に丸めてパン粉をつけて油で揚げるのがコロッケというわけだが、私はいつも、ホワイトソースにからめる前の、炒めた挽肉とタマネギを中間搾取《さくしゅ》するのが趣味だった。

「ちょっとちょうだい」

そう母に断って、アツアツの挽肉とタマネギをスプーンですくい、それを冷えた残りご飯の上にのせ、醬油《しょうゆ》を少しかけて食べる。これがこよなくおいしい。何と言うほどのものでもないけれど、なんだか、おいしい。胡椒の効いたぽろぽろ挽肉と肉汁がよく染《し》み込んでシャキッとしながら柔らかみのあるタマネギが、淡泊な白いご飯と絡《から》み合い、夕食前の空腹を軽く満たしてくれる。もちろんコロッケも大好きで、出来上がるのを楽しみにしているのである。しかしコロッケが出来上がる前に、この「挽肉タマネギ炒めご飯」を一口、台所で食べないと、どうも気持が落ち着かない。いわばこれは私にとって、コロッケが出来上がるまでの欠かせぬ儀式なのである。

炒めるとこよなく甘いタマネギが、生を切っているときはどうしてあれほど強烈な液体を飛ばすのだろう。しかし目に優しくない生タマネギも、それはそれで利用範囲が広い。ジャガイモサラダを作るとき、タマネギのみじん切りが入っていなかったら味気ない。タルタルソースにタマネギを入れないと、なんだか気が抜ける。

大学時代、片思いの君を含めた数人でピクニックへ行くことになり、私はサンドイッチを作る担当になった。片思い君は何サンドが好きだろう。あれやこれやと思案した末、「そうだ、玉子サンドとハムサンドにしよう」と決める。ハムサンドにはキュウリと芥子《からし》を入れ、玉子サンドは、固ゆで玉子にタマネギとピクルスを入れてマヨネーズで和《あ》えた。つまりはタルタルソースを作る要領ね、と思い、涙を拭《ふ》き拭《ふ》きタマネギを念入りに切る。細かく切ったタマネギをザルに入れ、水でさらし、ギュッと絞って玉子と合わせ、マヨネーズと絡めてパンに挟んだ。ちょっとお洒落《しゃれ》な玉子サンドの出来上がり。と、信じていたのだが、「さあ、どうぞ」と差し出した私の玉子サンドを一切れ食べた女友達が、一言ぽつり。

「アガワ、これ、タマネギをちゃんと水切りしなかったでしょ」

「へ？　したつもりだけど……」

「なんだかパンがベトベトしてる」

愕然《がくぜん》とした。あんなに早起きして、あんなに涙を流して作ったサンドイッチだったのに。動転し、結局、片思い君が玉子サンドに手を伸ばしてくれたかどうか。今でもタマネギのみじん切りを作るたび、思い出してチクリと胸が痛くなる。

で、手元のタマネギで、今日は何を作ろうか。

かしわいずこ

　夏の海水浴場にサメが出現して大騒ぎとなった。幸いけが人は出なかったようだが、カラフルな浮き袋がポコポコ浮かぶ浅瀬の合間を、三角形の黒い背びれがうねうね移動する映像を見たときは、反射的に映画『ジョーズ』のテーマソングが蘇《よみがえ》った。ちょっとばかり不気味な気持である。

　そこでふと、素朴な疑問が湧《わ》いた。

　サメとフカって、どう違うの？

　たまたまそのときラジオ局にいて、隣の若者スタッフに何気なく尋ねたら、はいはい、ちょっと待ってくださいよと、若者は目の前のパソコンをチャチャッと操作してあっという間に答えを見つけ出してくれた。

「基本的にサメとフカは同じサカナです。学術的にはサメが正しい名称ですが、一般的には東日本でサメ、西日本ではフカと呼んでるみたいですね」

へえ、そうだったの。同じサカナだったのか。

「え、でも、フカヒレって宮城県気仙沼が世界的な名産地なのに。なんでサメヒレじゃないのかしら？」

新たな疑問を呈した私のために、若者は再びチャチャッとキーボードを押すと、

「そもそもフカヒレを日本で初めて紹介したのが長崎らしいです。だからフカヒレなんだな」

へえ……。まあしかし、今さらフカヒレが、「これは北日本の特産物だから、名称を変更し、今後はサメヒレと呼ぼう」なんてことになっても困る。フカヒレと聞くと、その音感からしてなんとなく、醤油《しょうゆ》のよく染《し》み込んだフカーい味わいのある食べ物を想像するが、「サメヒレ」と言われると、どうも表面がザラザラしていて、硬くてとても嚙《か》みきれそうにない食べ物が頭に浮かんでくる。鮫肌《さめはだ》を連想するせいだろうか。

そんなことをあれこれ考えているうちに、思い出した。そういえば、鶏肉《とりにく》のことを関西では「かしわ」と呼ぶぞ。

子どもの頃、広島に住む伯父がよく、「今日はかしわを食おうか」などと言っていた。その言葉を聞くたび、東京生まれの私は、なぜか「鶏肉を食おう」より「かしわを食おう」のほうがずっとおいしそうだと思ったものだ。なぜ東京の言葉に「かし

わ」はないのだろう。かしわのバタ焼き、かしわの丸焼き、かしわ鍋《なべ》……。いいではないの。パリパリとこんがり焼けた皮の食感も、香ばしい肉の香りも、ジュージューという音も、「かしわ」という言葉のなかにはすべてが含まれている。「鶏肉」は、まあ、豚肉でも牛肉でもなく、鶏肉ね、という分類上の名称としてはわかりやすいけれど、「かしわ」ほどの食欲はそそられない。

「なんで関西の人は、『かしわ』って呼ぶんだろうね」

使えるものは若者でも使え。いや、若いんだからどんどん使おう。

「はいはい、ちょっと待ってくださいよ」

若者は、一瞬、「またかよ」という表情を眉間《みけん》に浮かべたが、すぐに気を取り直して親切にもまたパソコン画面に向かい、あれこれ操作してくれた。結果、

「よくわかりませんね」

あら残念。わからないこともあるのですね。

ラジオの仕事を終えて帰宅して、しかたがないから自分でパソコンを使って調べてみる。すると、わかったのである。すなわち「かしわ」は、昭和三十年代にアメリカから食用鶏肉であるブロイラーが入ってくる以前、それぞれの家庭の庭先に、卵を産ませるために飼っていた茶褐色の地鶏のことだそうである。卵を産まなくなるとそれ

をつぶして食肉にする。だから当時は全国的に鶏肉を「かしわ」と呼んでいたらしい。ん？　でも、どうしてその茶褐色の地鶏のことを「かしわ」と呼ぶんだ？

だんだん「こども電話相談室」のような様相になってきましたが、お答えしますね。遡《さかのぼ》ること聖徳太子様の時代、仏教が伝播《でんぱ》して肉食が禁止されるようになり、それでも敢《あ》えて肉を食べたい人は、露骨に肉の名を呼ぶことができないので、草木に喩《たと》えた隠語を使ったそうな。たとえば猪肉《しし》は「ぼたん」、馬肉を「さくら」、鹿肉《しか》は「もみじ」、そして鶏肉は、茶褐色の羽の色が落葉したかしわの葉に似ていることから「かしわ」と呼ばれるようになったとさ。

あらあら、そうだったのですか。ってことはつまり、柏餅《かしわもち》と鶏肉のかしわは、名称の点において親戚《しんせき》のような関係なのだ。ということがわかり、それにしてもなぜその名称が、以前は全国的共通語だったのに、関西九州方面だけに残ったのか、そこらへんは未解決。

調べ疲れてお腹《なか》が空《す》いた。なにか「かしわ」の料理が食べたくなった。

手軽に作れる「かしわ」昼ご飯メニューとして私がすぐに思いつくのは、「親子丼《どん》」である。買って冷凍保存しておいた「かしわ」の細切れを解凍し、出汁《だし》、砂糖、醤油とともに軽く煮て、クツクツ言い出したらそこへざくざくに切った長ネギをたっぷり加え、最後に卵を溶き入れる。小さなどんぶりにご飯を盛り、まだ半煮えの卵が絡《から》んだ甘辛味の「かしわ」をたっぷりかけて、七味と山椒《さんしょう》をパラパラパラ。なかなかの出来映えだ。そう呟《つぶや》いても誰も否定しない。私しかいないからね。しかし、アツアツの鶏肉を一つ箸《はし》でつまみ上げ、私は語りかけるのだ。どんなに私が君を「かしわ」と呼び、どんなに、地面のミミズを追いかける茶褐色の雄姿とひきしまった筋肉を想像したところで、君はやっぱり、ブロイラーなんだよね。

ニースの掟《おきて》

サラダを作りたくなった。その日の昼、洒落《しゃれ》たカフェレストランで注文したニース風サラダに落胆したせいである。見た目はたしかにニース風だった。ブラックオリーブはコロコロ、トマトもジャガイモもきれいに盛られている。アンチョビのかけらも見つかった。が、それらを菜っ葉とともにフォークで二、三度突き刺して、ふと見ると、お皿に残ったのはレタスやサラダ菜などの葉っぱのみ。あっという間にシンプルグリーンサラダに変貌《へんぼう》した。

「なんだこれ。これでニース風サラダなの？」

一緒に食べていた友も、がっかりした様子である。最初からグリーンサラダを注文していればさほどがっかりしなかっただろうけれど、心も胃袋も完璧《かんぺき》に、もっと実だくさんなサラダを期待する方向へ向かっていたので、がっかりしないわけにいかない。

しかし、思い返せば数年前、本場ニースへ行ったときはもっとがっかりしたものだ。

それ以前からニース風サラダが好物であった私は、初めて訪れるニースで何が食べたいと言えば、サラダ・ニソワーズに決まっているじゃないかという意気込みで、どこのレストランに入っても、

「サラダ・ニソワーズ！」

叫んでニマニマ、劇的出会いの瞬間を待ちわびた。が、運ばれてきたのは、まぎれもなく緑と赤と黒の彩りも豊かな新鮮野菜たっぷりのサラダではあるけれど、ジャガイモの姿が見当たらない。

「あれ？　ジャガイモは？」

私の質問に、レストランの人も、ニースの住人も、あっさり首を横に振る。

「ニース風サラダにジャガイモなんて、入れないよ」

愕然《がくぜん》とした。ならば私が知っているニース風サラダとは、どこのサラダなんだろう。と思っていたら、その後、帰国してから知ったことには、「ニース風サラダは、ゆで玉子以外に火の通った材料を使ってはならない」という掟があるという。そうだったのか……。でも日本では、たいていの人がニース風サラダには必ず茹《ゆ》でたジャガイモが入っていると信じているはずだ。いったい誰がジャガイモを入れたのだろう。私が初めてニース風サラダの存在を知り、その味に魅了されたのは、二十代前半の

ことである。当時、登山家の黒田初子《くろだはつこ》さんの料理教室に通っていて、そこで習った。あのときのサラダにはジャガイモとツナが入っていたと記憶する。マヨネーズで和《あ》えるポテトサラダしか知らなかった私は、フレンチドレッシング味のジャガイモサラダと初対面し、こんなにおいしいサラダがあるのかと感動した。ツナとブラックオリーブの色の対比がお洒落だと思ったことも覚えている。ジャガイモの他にどんな野菜が入っていたか。そこらへんは定かでない。以来、大ざっぱに思い出し、いい加減に作り続けて幾星霜《いくせいそう》。

今回入れた野菜は、まずジャガイモ、そしてトマト、インゲン、タマネギのみじん切り、赤ピーマン（黄でも緑でも可……と思う）、ニンジン千切り、セロリ、ブラックオリーブ。あと欠かせないのがツナとアンチョビ。料理本によって、「ツナとアンチョビのどちらか」と書いてあるものが多いけれど、私は両方入れる。そのほうがおいしいような気がする。

ニンジンとセロリに関しては、たまたま冷蔵庫に一本ずつ残っていたので細く切って入れただけだが、なかなかの存在感を示したので、今後は彼らを「ニース組」の仲間と認定することに決めた。

驚いたのは、インゲンだ。今までインゲンだけのサラダは何度となく作った経験があるけれど、ニース風サラダに入れた記憶はない。ところが多くの料理レシピに「ニース風サラダにインゲンを入れろ」との指示があるので試してみた。すると、このインゲンの味と歯触りが、ニース君にとても似合っていた。

　インゲンは塩を入れたお湯で軽く湯がき、斜めに細く切って加える。「ゆで玉子以外は火の通ったものを入れてはならぬ」というニースの掟に反するが、私はたとえニースの市長に訴えられても、このサラダにインゲンを入れるのをやめようとは思わない。冷蔵庫になかったら、あきらめるけれど。

　あとは運良くルッコラとか生のバジルとかがあれば、加えるとさらに香り豊かなサラダになるであろう。実際、今回、新鮮なルッコラの葉をちぎって入れたら、おいしかった。

　レタスは入れないの？　と首を傾《かし》げる方へ。どっちでもいいです、私は。レタスをたくさん入れるとサラダ全体が多少水っぽくなる気がするが、レタスを入れるほうが、カサはかせげます。

　じゃあニンニクは？　ときどき私はニンニクをすってドレッシングに入れる。が、ドレッシングを多めに作って取り置く場合、ニンニクが入っていると、朝、使いにくくなる。朝からニンニク臭くはなりたくない。そこで最近は、ニンニク一かけを二分して、切った面をサラダボールにこすりつけ、ニンニクの香りを器から野菜に染《し》み込ませるという方法を取ることにしている。母が昔からサラダを作るときにやっていた方法で、最近、ふと思い出した。このやり方だとそれほど強烈なニンニクの匂《にお》いは残らない。

こうして用意した野菜類に、ツナとアンチョビのこま切れとドレッシング（できればオリーブオイルを使いたいが、ない場合はサラダオイルで作る）を和え、しばし冷蔵庫で冷やして食べてごらんなさい。「ああ、ニース風は、我が家風にかぎる」と拳《こぶし》をあげて、雄叫《おたけ》びをあげたくなることでしょう。

ミイラ再生運動

『冷蔵庫で食品を腐らす日本人』という本の著者にお会いした。魚柄仁之助《うおつかじんのすけ》という、名前からしていかめしい、仙人のような風貌《ふうぼう》のその方の説によると、戦後の急速なる電化製品の進歩により、日本人は食品保存の知恵を失った。何でも冷蔵庫や冷凍庫に放り込んでおけば大丈夫だと思い込んでいる。しかし、冷蔵庫のなかにあるのはもはやミイラ化し、腐りかけた食品ばかりなのである……んだそうな。

ギョ。瞬間的に我が家の冷蔵庫の中身が頭に浮かぶ。

「お宅も大きい冷蔵庫を置いているでしょう」

魚柄さんの目がするどく私を突き刺した。おっしゃるとおりです。自分の背丈より高い巨大冷蔵庫をたしかに持っております。

「そのなかには、一年も二年も前の瓶詰めや冷凍食品がいっぱい詰まっているでしょう」

まことにご指摘のとおり。一、二年どころではありません。それ以上のヴィンテージ級もございます。たとえば五年もののジャム、いつからあるかわからない佃煮《つくだに》、塩辛、味噌《みそ》に調味料。冷凍庫を開ければ、カチンカチンに凍った牡蠣《かき》、アジのひもの、霜に覆《おお》われた牛肉、豚肉、冷凍ご飯やアイスクリーム、そして茶色いかたまりは……カレーかシチューか、はたまた野菜スープかなんだか正体不明のカチンコチン……。

「あのですね」と、魚柄博士が身を乗り出す。

「冷凍庫に入れておけば何年でも保存できると思ったら間違いなんですよ。家庭用の冷凍庫は漁船や市場の冷凍庫とは違って、零下十数度ぐらいなの。それくらいの温度でいくら凍らせておいても食品は腐る。腐らないまでも劣化して確実に味が落ちるのです」

でも……と、ここで私は小さく反論する。一人暮らしの身の上で、到来物の生鮮食品や多めに作ったカレー、シチューなどは、一度に食べ切れない。捨てるのももったいない。とりあえず冷凍して保存するしかないのです。ならばどうすればいいのでしょう。

「買い込みすぎない、作りすぎない。冷凍食品はだいたい一週間ぐらいで循環させるように。とにかく今現在、冷蔵庫や冷凍庫にあるものを全部、食べ切るまで新しいものは買ってはいけません！」

厳しく叱《しか》られて、私は決意した。よし、実行してやろう。新たな食品を買わずに、あるもので生き延びてみせようぞ。

こうしてまず冷凍庫に眠っている食品の探索を開始する。すると、おお、二年前に買った立派なステーキ肉があるではないか。今夜はこれでじゅうぶんだ。カチンコチンのステーキ肉を電子レンジで解凍し、フライパンにバターとニンニクを敷いて、焼く。焼いている間に再び冷蔵庫の扉を開くと、いつのものだか定かでない「ステーキ醬油《しょうゆ》」が見つかった。よしよし、これも利用しよう。

こうして焼き上がったステーキを大皿に載せ、解凍したご飯と並べて食卓へ。賞味期限の日付から目をそらしてステーキ醬油をちょろっとたらし、さて、ナイフとフォークを使って口に運ぶと、

「うーん」

お腹《なか》を壊す予感はないけれど、冷凍焼けしたような妙な匂《にお》い。ミディアムレアに焼いたはずが、なんだかパサパサ。お世辞にもおいしいとは言い難い。というか、はっきり言って、まずい。でもこれで一つ、ヴィンテージ食料品が消えた。その満足感だけを頼りに必死で平らげた。

さて翌日は炒飯《チャーハン》を作ることにした。冷蔵庫に、だいぶ以前にいただいたサワラの西京漬けがあったからである。高級料亭の西京漬けだった。入手直後に数切れ焼いておいしかった記憶がある。が、残る幾切れかがそのまま白味噌のなかで長く眠っていたらしい。思い出して開けてみれば、もはや水分を失ったカチコチの味噌の間に、これまた味噌の風味を染《し》み込ませすぎてカチコチになったサワラ君のミイラを発見。あら、もったいないことをした。捨てようかしら。でも待てよ。細かく崩せば炒飯の具になるぞ。

「冷蔵庫に長く入っているものは、水分が抜け、あるいはもともと味の濃いものばかり。味が濃いから残るのね。そういうものはぜんぶ、調味料と考えればいいのです」

料理研究家がラジオで話しているのを小耳に挟み、なるほどと思ったことがある。西京漬け以外に手頃な調味料はないかしらと、さらに探索してみれば、ありました。封を開けて放っておいたしば漬け。これをぜんぶ炒飯に入れてしまおう。

まずニンニクとねぎを細かく切る。卵は砂糖少々、醬油少々にお酒を少し加えて溶いておく。中華鍋《なべ》に油を多めに敷き、熱くなったらニンニクを入れ、そこへ卵を一気に流し込み、玉じゃくしでカランコロンの音も高らかに軽く掻《か》き混ぜる。炒飯を作るときに玉じゃくしを使って、このカランコロンを響かせると、ちょっとした中華料理のシェフ気分を味わえるので好きなのだ。それはさておき、ほどよく固まった卵の上に残りご飯を加える。カランコロンとご飯のかたまりをほぐしたりつぶしたりしながらしばらく炒《いた》めたのち、さていよいよ登場、箸《はし》でほぐした西京漬けのミイラをパラリパラパラ。続いて味のやや曖昧《あいまい》化したしば漬けをパラパラパラ。最後にねぎのみじん切りをたっぷり入れて、醤油と塩で味を調整し、ちょっとおつな「塩魚炒飯」の出来上がり。味はどうだったかって？　あのミイラ西京漬けが生き返ったと思えば、まずまずの出来だったと言える。言えますけれど、明日は何か、新鮮なものが食べたい。

肉味噌《にくみそ》妄想

前回に引き続き、冷蔵庫一掃運動は細々と実行中である。

珍しく切迫した原稿の締め切りもなく、出かける用事もない、ある晴れた日の午後に、ふと思いついた。そういえば昔、甜面醬《テンメンジャン》の作り方を教わった。中華料理に使う甘味噌のことだ。教えてくださったのは、ときどきＮＨＫの料理番組にも登場なさる料理研究家の野口日出子さん。和食が専門の野口先生だが、実は中華料理もお得意なのである。

「これがあると、麻婆《マーボー》豆腐や中華風味噌炒《いた》めに使えて便利よ。アンタ、これ持って行きなさい」

そう言って、大瓶いっぱいの野口製甜面醬をくださった。おかげで長らく便利をした。とくに麻婆豆腐を作るときは欠かせない調味料だった。愛用した末、とうとうスッカラピンになくなった。

「そうだ、あれを今度は自分で作ってみよう」

思い立った理由は、ウチに味噌がたくさんあったからでもある。到来物、自分で買った味噌、出自が定かでないものなど、いろいろある。味噌は好きであり、お味噌汁もよく作る。しかし、どんどん消費できるものではない。甜面醤にしておけば、味噌料理の幅が広がるであろう。さっそく以前にいただいた野口流甜面醤のレシピを探し出す。あったぞあったぞ、ホイサッサ。それによると材料は、赤出し味噌、水、砂糖、醤油《しょうゆ》、酒、そしてサラダ油とごま油。新たに買ってくるべきものはなく、すべて手持ちのものですむ。作りたいと思い立ったそのときに、すぐ作ることができるというのは、うれしい。

まず冷蔵庫の扉を開けて、使いかけの味噌を漁《あさ》る。すると、あったぞあったぞ、ホイサッサ。赤出しではないが、以前、大分の友人が送ってくれた米味噌だ。大豆のツブツブが残る素朴な味噌で、そのまま生の野菜につけたり、クリームチーズやマヨネーズなどと和《あ》えてディップにしたりしておいしくいただいたが、それでもまだだいぶ残っている。

「よし、これを使おう！」

米味噌七百グラムほどを片手鍋《なべ》にあけ、水をほぼ同量、砂糖を半分量、醤油と酒をそれぞれ十分の一の分量加え、よく溶いてから火にかける。うーん、楽しみだ。これを作り置いて、何を作ろうかなあ。あれこれ考えながらしばらく味噌を見つめていたが、なかなか煮立たないので、いったん台所を出て、洗濯物をたたんだり、たたんだ洗濯物を棚に入れたり、すると棚周辺のホコリが気になって拭《ふ》き掃除を始めたり、使った雑巾《ぞうきん》が汚いので台拭きを雑巾に格下げしようと思ったり、それを水でしぼったり、そんなこんなにかまけていると、突然、台所から「ジュウウ！」と音がした。飛んで行ってみればあら大変、味噌が噴いているではありませんか。

やれやれ今度はガス台周辺の大掃除だ。味噌にはしばらく火から離れてお待ちいただくことにする。料理はやきもち焼きである。ちょっと目を離すとすぐにふくれて暴れ出す。はいはい、機嫌を直してね。おいしく作ってあげるから。

ふたたび火にかけ、じゅうぶんに煮詰まったと思われたら、最後にサラダ油と、仕上げにごま油を入れるとレシピには書いてある。なんと簡単な甜面醬！　ごま油を入れてかき混ぜると、たちまち甘くいい香りが立ち上った。これを使ってさっそく何か食べたくなった。そこでふたたび冷蔵庫と冷凍庫を覗《のぞ》く。すると、あったぞあったぞ、ホイサッサ。冷凍の豚ひき肉が、「そろそろ使ってくださいよ。もう寒くてたまらないですぜ」と言いたげな霜に覆《おお》われた寒々とした様子で収まっていた。

「そうだ、肉味噌にしよう」

今度はニンニクと生姜《しょうが》のみじん切り。冷蔵庫に保存してあった、水に戻した干しシイタケのひとかけらもみじん切り。それらを解凍した豚ひき肉とともに炒め、そこへ出来たて甜面醤をタラタラタラッと加えると、肉味噌が出来上がった。

さてこの肉味噌を何にかけて食べようか。中華麺《めん》にかければジャージャー麺ができる。しかし、私の冷蔵庫に今現在、中華麺の買い置きはない。ならば素麺《そうめん》でもいいか。どうしようかなあ、と、またもや冷凍庫を開けてみると、冷凍にしたご飯と目があった。ご飯に目はないが、私の目はご飯に留まった。

「おお、肉味噌ご飯もいいんでないの？」

ウキウキしながらご飯を解凍する。その間に、冷蔵庫の野菜室から茗荷《みょうが》と万能ねぎを取り出して細く切る。解凍されたご飯をどんぶりに入れ、肉味噌、茗荷、ねぎをたっぷりのせ、さらに上から七味かな、山椒《さんしょう》がいいか、はたまた豆板醤《トウバンジャン》かしら。迷ったときは全部試してみるにかぎる。

用意万端。またまた冷蔵庫を開けて、いよいよビールの登場だ。製氷室で冷やしておいたビール用のグラスを取り出して、そこへギンギンに冷えたビールを注ぐ。はい、カンパーイと、自分に声をかけ、グイッと一口。いったんグラスを置いて、さあ、いただきます。お箸《はし》片手に、肉味噌どんぶりのお味はいかが。ふむふむ、これは成功だった。米味噌がこんなふうに変身するとは思ってもいなかった。あっという間に平らげて、残った肉味噌をプラスチックパックに入れて冷蔵庫にしまう。肉の入っていない甜面醤も、冷めた頃合いを見計らい、ガラス瓶に詰めて冷蔵庫へ。冷蔵庫のなかは、空いたと思ったらまた一杯だ。でもうれしいね。肉味噌妄想は次々に膨らんでいく。次回はジャージャー麵を作ることにしよう。そのためには、中華麵とキュウリと長ネギを買ってこなくては。また冷蔵庫が太りそうだ。

殻取り男

レストランのカウンター。一組の美男美女カップルが食事をしていた。男性は年の頃、三十代後半から四十代の初めとおぼしき、色黒で目鼻立ちのはっきりとした今風のイケメンだ。いっぽうの女性はウェイブのかかったセミロングの茶髪に白いワンピースがよく映える脚の長い美人。座っているのになぜ脚が長いとわかったかと言えば、彼女が長すぎる脚を持て余し、カウンターの下にぶつからないよう斜めに伸ばしていたからだ。店の人の案内でその隣の席についた私はその必要がまったくなかった。まっすぐ伸ばしてもカウンターにはちっともぶつからない。あらまあ、長いのね、この方の脚、と、そう思った次第である。

さて、その席に、私は母とその友だちのご婦人と並んで座った。母と友だち婦人との会話がはずんでいる間、ときどき私は暇になる。そしてつい、お隣のカップルに関心がいく。いかなくとも自然に会話のかけらが聞こえてくる。漏れ来る言葉を耳にしてみれば、なかなか礼節をわきまえた二人とお見受けした。店の人が料理を運んでくると、しっかりした声で、「ありがとうございます」と礼を言う。カウンターの中から店のあるじが「お味は？」と問えば、「おいしいです」とにこやかに応答する。声のトーンも高すぎずはしゃぎすぎず、まわりの迷惑にならない穏やかな話しぶりである。が、静かに切り出した女性の話の内容は、

「エリカ（仮名）ね、早くブーツの季節が来てほしいぃ。エリカ、ブーツ大好きぃ」

まあ、なんと申しましょうか、見た目は大人っぽいが、案外、中身はかわいらしいというか、女の子らしいというか……。そんなものでしょうね。と、納得しかかったとき、新たな料理が彼らの前に運ばれてきた。アサリの味噌汁《みそしる》とご飯と香の物だ。洋食の店であるが、最後にこういう献立になっているところがいい。おお、おいしそうだわね。私は横目で二人がお箸《はし》を持ち上げるのを追い、ニンマリしかけたそのとき、事件は起きた。やおらスーツ姿の男性の両手が彼女の味噌汁椀《わん》に伸びていった。と思ったら、その逞《たくま》しい手で巧みに箸を使い、アサリを一つずつ、殻からはずし始めたのである。

なに、彼女のアサリの殻を、オヌシ、取ってあげるおつもりか？　と、仰天し、思わず男性の顔を見かけたけれど、露骨に目を向けるわけにもいかず、チラチラ盗み見

る。彼女は彼が一つのアサリの身を殻からはずしてお椀のなかに戻し、殻を別皿に置くたびに、「ありがとう」とはっきりした声で、きちんと礼を言っている。相変わらず礼儀は正しい。人に親切にされたとき、感謝の言葉を忘れるなと親から厳しく躾《しつ》けられたのだろう。が、アサリの殻のはずし方は習わなかったらしい。

その話を後日、仕事仲間の若い女の子たちにすると、一同、呆《あき》れたと言わんばかりの反応である。

「えー、信じられない〜」

「そうでしょ。女性が男性に貝の殻を取ってもらっているのを見たのは初めてだったよ、あたしゃ」

我が意を得たりとばかりに私の声もはずむ。

「だいたい男が奥さんや恋人に魚の骨や蟹《かに》の身を殻からはずしてもらうのだってどうかと思うけど、まして女性がねえ……」

するとそのとき、

「あ、私、蟹は自分で身を取りません」

「あ、私も。殻付きの蟹って本当に嫌ですよね。私も蟹を食べるときは、母かお店の人に取ってもらいます」

「ホント、あれ、イライラするもんねえ」

続々と殻取り嫌いが出現した。

「蟹って、最初から殻をはずして出してくれればいいのに」

なにを言っておるのか、アンタたちは！　そりゃたしかに殻をはずす手間が省ければ、そんなに楽チンなことはないけれど、殻も味のウチ。殻つきでなかったら、蟹もアサリもハマグリも間の抜けた料理になってしまう。アサリの味噌汁が殻なしで出てきてごらんなさい。ハマグリの酒蒸しが身だけ供されてごらんなさい。どれほどみすぼらしく見えることか。蟹も同様。テーブルの真ん中にドーンと、赤くて豪快な蟹の雄姿があってこそ、ああ、蟹を食べるんだという闘志が湧《わ》いてくるというものだ。そりゃまあ、細い脚先の部分なんぞの身を取り出すのには苦労するから、つい宴席が静まり返るということはあるけれど、それもまた蟹料理の風物詩と見てよろしい。蟹の殻はずしに熱中し、しばし会話を忘れ、ときどきイライラし、そのうち手や顔が痒《かゆ》くなったりする。しかしその労苦の末に、自分でほじくり返した戦利品の山を眺め、どうじゃ！　と胸を張り、いざ食べようというときの達成感は何ものにもかえがたい喜びだ。その喜びを知らずして、楽に蟹や貝類を食べようという、その安直な気持が日本をダメにするのであるぞ。殻と闘ったもののみぞ知る真の至福をどうして取り除くことができよう。

しかし正直なところ、シジミのお味噌汁は面倒だ。身をほじくっていると次第に身体《からだ》が縮こまり、人間自体がシジミとともに小さくなっていくような気がしてならない。だから大きな声では言えないが、たいてい途中で身取り作業を放棄してしまう。ついでに小さな声で……、そろそろおいしい季節と評判の上海《シャンハイ》蟹も大変ね。なんたって脚が細すぎる。誰か身を取ってくれないかしら。見渡しても、そんな奇特な男の持ち合わせはない。脚は太くて短いに限る。

カヌレ君の功名

「なんじゃ、これ？」

私は思わず声をあげた。仕事場で、仲良しのスタイリスト嬢から、よろしかったらどうぞと差し出されたババロア型の小さな焼き菓子を一口かじった直後のことである。摩訶《まか》不思議な味。外側はカカオ色でカリッとしているが、なかのスポンジ生地はタマゴ色のモチモチした食感である。

「なんですか、これ？」

持ってきてくれたスタイリスト嬢のユリちゃんに尋ねると、

「カヌレです。フランスのお菓子なんだけど東京でも売っています」

へえ、知らなかった。今どきの若い女の子は新しい食べ物に対するアンテナが高い。

そうか、こんなお菓子が流行《はや》っているのね。

「いいえ、それほど新しくないです」

ユリちゃんはきっぱり言い、

「でもおいしいですよね、私も大好きです」

時代遅れの私をなぐさめるかのように一言、付け加えた。

出会いがいかに遅くとも、出会ったことに意義がある。よし、私はこの……、

「なんだっけ？」

「カヌレ」

ああ、そのカヌレというお菓子を今後、自らの「好きです」項目に登録することとした。

調べたところ、このカヌレ、フランスのボルドー地方に古くから伝わる焼き菓子だそうで、もともと修道院で作ったのが発祥だとか。修道院で生まれたお菓子といえばすぐに思い出すのが北海道のトラピストバタークッキーだ。修道院には菓子作り名人が多いのか。あるいは材料と環境に恵まれているせいかもしれない。未開の土地に修道院を建て、畑を耕し小麦を育て、牛やニワトリを飼い、ミルクを取ったりバターを作ったり卵を集めたりして生活するうちに、これらを使って何か作れないかしらと、試しにいろいろこねてみたら、

「あら、こんなもんができちゃった。おいしいから村人や困った人たちに分けてあげ

ましょう」

なんてことで、しだいにその味が知れ渡り、

「そうかそうか、ウチでもちょいと作ってみるか」

まずはパン屋の主人が真似《まね》して焼いてみる。

「ほほう、これはおいしい！　パンとともに店先に出してみよう」

パン屋の新製品はたちまち町の噂《うわさ》になり、さらに評判が隣町にまで広まって、そしてついには海を渡り、遠い国まで届くことになったとさ。

と、これは勝手な想像だけれど、そうだとすれば、カヌレが日本に上陸するのにずいぶん月日がかかったものである。カステラやプリンやマドレーヌやバウムクーヘンなどはヨーロッパ大陸からとうの昔に伝わってきているというのに。カヌレはその頃、どこに潜んでいたのだろう。

カヌレの作り方をインターネットで見てみると、たった三行で記されている。材料は牛乳、バター、砂糖、薄力粉、卵、ラム酒、バニラエッセンス。牛乳を沸騰《ふっとう》させ、そこへ他の材料を加えて作った生地を漉《こ》して半日寝かせる。カヌレ型（凸凹のあるプリン型のようなもの）の内側に蜜蠟《みつろう》を塗り、休ませておいた生地を流し込んでオーブンで焼く。

比較的、簡単そうではあるけれど、しかし蜜蠟とはなんぞや？ 説明書きを読めば、蜂《はち》の巣から採取した蠟だとか。そんなものはどこで売ってるんだ？

「蜜蠟のかわりにバターを使用してもよい」

ふうん。でも蜜蠟なくしてカヌレの味が出せるのか。ここまで調べると、作りたくなってきた。よし、久しぶりにお菓子を焼いてみるか。

ほとんどの材料は家にある。ないのはラム酒とカヌレ型だけだ。蜜蠟は最初から無視。他のレシピで、生地のなかに蜂蜜を混ぜるとおいしいとあった。これでなんとか蜜蠟の味をカバーできるだろう。

お菓子作りって、どうしてワクワクするのだろう。粉をふるいにかけるだけでうれしくなる。ボールに粉雪を降らせている気分。同じボールに砂糖をたっぷり、こんなにたっぷり入れれば太るに決まってると心配になるほどの大量を粉の上にふるい落とす。

いっぽうで牛乳を温め、そこへバター少量と蜂蜜を溶かし入れる。いい匂《にお》いがしてきたぞ。温めた牛乳を先程《さきほど》の薄力粉と砂糖の入ったボールへ流し込む。スポンジケーキはこの段階で、「かき混ぜ過ぎてはならぬ」と教わった記憶があるが、このカヌレレシピでは、「泡立て器でダマが残らないようによく混ぜる」とある。いいのかな。

よく混ざったあたりでラム酒をタラタラ。もう少し入れるか、タラタラタラタラ。バニラエッセンスもチョビ。うーん、さらにいい匂い。そして最後に溶いておいた卵二個を混ぜ込むと、早くもカヌレらしきモチモチを予感させる生地ができあがった様子だ。

ここで私は思った。カヌレ修道院のシスター様、本当はスポンジケーキを作るつもりが、粉と牛乳を混ぜ込みすぎて、生地がねっとりしてしまったのではあるまいか。ま、いっか、とそのまま焼いたらカヌレができちゃった。あら、おいしいわ。怪我《けが》の功名、カヌレ誕生と相成ったのかと、オーブンに入れるまで一晩お休みいただくココア色の生地を眺めながら考えた。で、うまく焼けたかって？　ただいまカヌレ君は休眠中。皆様におかれましては、ラム酒とバニラとバターと蜂蜜と卵の混ざった、得も言われぬ甘い香りを想像しつつ、しばしお待ちあれ。

続カヌレ君

一晩寝かしたカヌレの生地は粉と卵と牛乳がよく馴染《なじ》み、作った直後よりさらにムッチリと重く滑らかなココア色の液体になっていた。さてこれを型に入れてオーブンで焼きましょう。だが、実はカヌレ型を持っていない。そもそもカヌレとは「溝のついた」という意味だそうで、つまり側面にウネウネ凸凹のついた、上から見ると菊のご紋章のような模様になるプリン大の型を使って焼いたことに由来するとか。そういえばそんなかたちの焼き型を持っていた気もするが、引っ越しを繰り返すうちにどこかに忘れてきたかなくしたか、今となっては探す術《すべ》もない。それぐらいのケーキカップ、たやすく手に入るだろうと近くのスーパーに行ったところ、その手のものはなく、かわりに耐熱ガラス製で直径七センチほどの小鉢か、ウネウネを重視するなら紙製のお弁当おかず入れぐらいしか見当たらない。しかたがないのでガラス小鉢を三つとおかず入れをワンセット買って帰る。

こういうとき、目当てのものが見つかるまで吟味検討を尽くして徹底的に探しまわるタイプと、いい加減なところでさっさと妥協するタイプと、人は二通りに分かれると思われる。申し上げるまでもなく私は後者である。

私の親しいノッポの女優が律義《りちぎ》な性格で、かつて「料理本に『耳かき一杯の分量』と書いてあったら私はまず耳かきを買いにいく」と豪語していたことがある。なにを考えているんだか。そんなことが目分量でできないで料理が作れるか⁉ ならば「耳たぶの柔らかさ」なんて言われた日にはどうするつもりだろう。自分の耳たぶだけでは信用できず、家族中の耳たぶを触り比べ、ますますわからなくなって、最後には乳ガン検査に使うマンモグラフィの機材かなんかを持ち込みかねないぞ、アイツ。あるいは「人肌に温めろ」という指示にはどう対処するのでしょう。まず体温計で体温を測り、しかし人肌は表面温度であろうから、もう少し低いかと想定し、牛乳に温度計を突っ込んだり身体《からだ》の表面に体温計を当てたり、そうこうしているうちに食卓で料理を待つ客人はみんな帰っちゃうぞ。

「いいえ」と女優はきっぱり首を横に振る。

「最近は、あなたのように『いい加減』ということを学んで料理がすっかり上手になりました」と、このあいだ会ったら優雅に申しておりました。いい傾向である。人生はともかく、こと料理には『いい加減』が大事なのよ。しかし本当のところ、お菓子作りに関しては、「いい加減はタブー」と、若い頃、料理の先生に教わった記憶がある。ガラス小鉢とおかず入れの入ったスーパーの袋を手に帰宅途中、ふとそのことが頭の隅をよぎったが、

「いいよね、これで？」

二つの品を袋から出してアシスタントのアヤ嬢に同意を求めると、いつも的確かつ率直な意見を言ってくれる彼女は一刀両断、

「このおかず入れ、オーブンに入れたら焼けちゃいませんかねえ……」

「そうかもねえ」

たちまち不安になり、おかず入れはアヤ嬢に譲渡、残るガラス小鉢でカヌレを焼くことにした。

しかし、ケチな私は小鉢を三つしか買ってこなかった。作ったカヌレ生地を小鉢三つに注いでも、まだあと相当に残る。「うーん、どうしよう」と、ふたたび食器棚を漁《あさ》ると、ありました。ドーナッツ状をしたエンゼル型が。これで焼けばいいや。

まず型の内側にバターを塗り、そこへ生地を流し込む。オーブンの温度は、まあ二百度ぐらいでいいか。ローストビーフを焼くときが百八十度ぐらいだからそれより少

し高いほうがいいかもしれない。根拠はない。焼け具合は様子を見つつ。途中でときどき覗《のぞ》いて、表面の焦《こ》げ加減がカヌレらしくチョコレート色になり、中央に菜箸《さいばし》を突っ込んでみて生地がつかなければよしとしよう。

部屋中に甘い匂《にお》いが漂って、そろそろ焼けたかと思う頃、オーブンから出して冷ます。なんといい匂い！　お菓子作りの醍醐味《だいごみ》はこの匂いを嗅《か》いだときにあると言ってもいい。

こうしてほどよく冷めたカヌレの「小鉢組」を一つ、型から取り出す。スポンジケーキほど膨らんではいない。むしろ表面がややへこんでいるが、まあ、こんなもんでしょう。手でちぎってなかを見ると、ムッチリとしたココア色の、まだほのかに温かい生地が香ばしい味を醸《かも》し出している。

「おいしいじゃないの？」

「うん、おいしいです！」

アヤ嬢もカヌレの完成を讃《たた》えてくれた。

さて話はここで終わらない。残るエンゼル型組をその翌日、包丁で切ってつまんでみたところ、あれ？　前日よりムッチリ度が増している。増しているどころか、粉菓子特有の気泡は一つも見当たらず、焼き菓子というより名古屋名物ういろうのような食感。

「こんなんだっけ？」

「いや、昨日はここまでは……」

ラム酒のよく効いた甘く香り高きういろう味ではあるものの、これはどう見ても、私が最初に気に入ったカヌレとは別物だ。なにがいけなかったのか。容器が大きすぎたか。それとも生地をかき混ぜすぎたか。いやいや、ラム酒と蜂蜜が多すぎたのかもしれない。焼く温度が低かったという説もある。簡単そうだと高をくくっていい加減に作りすぎた。やはりお菓子はレシピに忠実でなければダメなのかしら。

あとがき

本書は二〇〇六年五月から二〇〇七年一二月にかけて「クロワッサン」誌上に連載した、食にまつわるエッセイをまとめたものである。連載の通しタイトルであり、このたびの書名ともなった「残るは食欲」というのは、そもそもだいぶ昔に悪友、ダンフミが呟《つぶや》いた言葉だ。

「愛欲と物欲を捨てた今、自分と俗世を結ぶ唯一《ゆいいつ》の絆《きずな》は食欲のみ」

うまいことを言う女優だと感心した。感心はしたけれど、私はそこまで欲を捨ててはいないと自認した。

物欲はたしかにこのオンナと同レベルかもしれない。少なくとも世間一般の女性たちよりは、はるかに劣るであろう。ブランドにことごとく無知で、流行には疎《うと》く、古い服が捨てられない。よって新品を取り込む余地がない。つまりは整理整頓《せいとん》能力が欠如しているのである。ならば愛欲はと問われれば、ダンフミほど捨て切った覚えはない。初動が遅きに失したきらいはあるものの、まだこれからでも、ひと花咲かせる意欲は満々よ……と、その頃は思っていた。

ところが、本誌連載を始めるにあたり、ダンフミの言葉を思い出し、半分、冗談のつもりで通しタイトル候補のなかにこの「残るは食欲」という言葉を加えてみたところ、編集部から元気な声で電話がかかってきた。

「これで行きましょう。これ、最高っす。アガワさんのイメージにぴったりだ!」

あら、そうかしら。やや腑《ふ》に落ちないわけではないけれど、まあいいか。

さて当の中身については、ひたすら食べることである。食べ物についての話題は尽きることがない。なにしろ毎日、どんな粗食で済ませようとも、何かしらは食べているはずである。だから書くネタに困ることはないだろう。そう思って書き始めてみたのだが、案外、困った。毎回、締め切りが近づくたび、手帳をめくり、最近、何を食べたか記憶をたどる。何かおいしいものを食べなかったっけ。何を作ったっけ。珍しい食べ物に出くわさなかったかしら。冷蔵庫を開け、隅々にまで目を凝らす。料理本を覗《のぞ》いて、ヒントが落ちていないか探す。食器棚を見つめ、瞑想《めいそう》する。我が秘書のアヤヤのうしろに張り付いて、

「ねえ、なんか、書くことなーい?」

夏休みの自由研究の課題を探す小学生が母親の助けを求めるがごとく、しつこくつきまとう。

かくのごとき苦悩のあかつきに、ようよう生まれた短文である。ときに初めて食してその興奮の勢いで書いた回もある。ときにすっかり忘れかけていた幼い頃の好物を、突然、思い出したこともある。脳みその「食部門」の棚に属するあらゆる抽斗《ひきだし》をひっくり返しているうちに、遠い過去の味がひょいと蘇《よみがえ》るのだ。ひょいと蘇るといえば、書き進むうち、もしやこの料理の話はすでに書いたことがあるのではと嫌な記憶が蘇る場合もあるけれど、そういうときは、気づかなかったことにして、別の要素を加えて新たな味にリニューアルさせた。……ごめんなちゃい。

回を重ねるにつれて、気づいたこともある。私は、何をおいても食べることが好きだとか、一食たりともまずいものは食べたくないとか、食べることについてはあらゆる労力を惜しまないとか豪語するほど食べ物への執着はないと思う。眠気と空腹のどちらを我慢できるかと聞かれたら、空腹のほうだ。寝ればお腹《なか》が空《す》いていることは忘れられる。おいしくないものにたまたま出会っても、そのときは不幸に思うだろうが、その次に、ほんのささやかなものでもおいしいと感じられたら、たいそう得した気持になる。本書の冒頭にも書いた通り、満腹どきより、お腹が空いている状態で、これから何を食べようかと考えているときのほうがよほど幸せなのである。
この連載を始めてよかったとつくづく思う。なぜならば、必死でネタを探し、ようやく思いつき、書いているうちに、むらむらと食欲が湧《わ》いてくるからだ。よし、これを書き終えたら作るぞ。食べるぞ。無事に原稿を書き上げて、冷蔵庫を覗く瞬間、あるいは財布片手に食料品の買い出しへ行くときの心と胃袋に湧いてくるウキウキ感は、なにものにも代え難い。やはり私も、残るは食欲だったのか。

本書をまとめるにあたり、まず連載中より毎回、おいしく心のこもった感想を書いて私を励ましてくださった、料理上手の「クロワッサン」編集部、山田聡氏、私が「こんな本にしたいな」と密《ひそ》かに願っていたことを、会った瞬間に理解して、即、実行してくださった出版部の澤田康彦編集長とベテラン刈谷政則氏に感謝します。そして、まだお目もじは叶《かな》わないものの、長らくお慕い申し上げていた荒井良二さんには、連載中のみならず、本書の表紙と挿絵にもまるーいお力をいただいて、こんな僥倖《ぎょうこう》はありません。さらに、大好きな和田誠さんには本書全体のデザインをお引き受けいただいて、なんて私はシアワセモンなのでしょう。本が売れたら、皆さんでおいしいもの、食べに行きましょうね。安くておいしいもん、おごるから。読者の皆様は、この本を読んだあと、お好みのままにおいしいものを召し上がってくださいませ。

阿川佐和子

二〇〇八年七月

あとがきのあとがき

マガジンハウスから出版した『残るは食欲』が、このたび新潮文庫の仲間入りをさせていただくことになりました。転校生のような気分ですが、なにとぞよろしくお願いいたします。いじめないでね。

この本の魅力はひとえに荒井良二さんの愛らしくもポップな挿絵に帰するところ大でありまして、単行本として出版した際も、「うわ、絵がカワイーイ！」と各方面から絶賛のお言葉を頂戴《ちょうだい》し、嬉《うれ》しくて、ちょっと寂しい日々を送っておりました。でもそれは真実であり、私のつれづれ食エッセイが、荒井さんの絵によってどれほど磨き上げられたことか。どれほど読者の空想と空腹を膨らませたことか。著者も再読し、改めてお腹《なか》が空《す》きました。

文庫化にあたり、内部の挿絵はなくなりましたが、カバーの絵は荒井さんが新たに描き下ろしてくださったものです。すげー。ですからして、まずは表紙で「カワイーイ！」と相好を崩し、優しい気持になった勢いで手に取っていただいて、ついでにページを開いてくださいました暁には、必ずや、読者のお腹をぐるぐる言わしめることをお約束いたします。あ、もう読んじゃったの？　では、すぐさま買い物へ走って、ためしに今晩作ってみてくださいませ。出来については保証のかぎりにありません。残るはあなたの「おいしい」と思いたい気持だけ。シアワセは、案外たわいもないところに潜んでおりますからしてね。

二〇一三年　ふきのとうの天ぷらが食べたい頃に

阿川佐和子

この作品は二〇〇八年九月マガジンハウスより刊行された。

阿川佐和子著

オドオドの頃を過ぎても

大胆に見えて実はとんでもない小心者。そんなサワコの素顔が覗くインタビューと書評に、幼い日の想いも加えた瑞々しいエッセイ集。

阿川佐和子著

スープ・オペラ

一軒家で同居するルイ（35歳・独身）と男性二人。一つ屋根の下で繰り広げられる三つの心とスープの行方は。温かくキュートな物語。

阿川佐和子著

婚約のあとで

島清恋愛文学賞受賞

姉妹、友人、仕事仲間としてリンクする七人。恋愛、結婚、仕事、家庭をめぐる各人の心情と選択は。すべての女性必読の結婚小説。

阿川佐和子著

うからはらから

父の再婚相手はデカパイ小娘しかもコブ付き……。偽家族がひとつ屋根の下で暮らす心労と意外な幸せ。人間が愛しくなる家族小説。

阿川佐和子著

魔女のスープ

—残るは食欲—

あらゆる残り物を煮込んで出来た、世にも怪しい液体——アガワ流「魔女のスープ」。愛を忘れて食に走る、人気作家のおいしい日常。

阿川佐和子ほか著

ああ、恥ずかし

こんなことまでバラしちゃって、いいの!?女性ばかり70人の著名人が思い切って明かした、あの失敗、この後悔。文庫オリジナル。

檀ふみ
阿川佐和子著

太ったんでないのッ!?

キャビアにフォアグラ、お寿司にステーキ。体重計も恐れずひたすら美食に邁進するアガワとダンの、「食」をめぐる往復エッセイ!

阿川佐和子・角田光代
沢村凜・柴田よしき
谷村志穂・乃南アサ著
松尾由美・三浦しをん

最後の恋
—つまり、自分史上最高の恋。—

8人の女性作家が繰り広げる「最後の恋」をテーマにした競演。経験してきたすべての恋を肯定したくなるような珠玉のアンソロジー。

阿川佐和子・井上荒野
大島真寿美・島本理生
乃南アサ・村山由佳著
森絵都

最後の恋 プレミアム
—つまり、自分史上最高の恋。—

これで、最後。そう切に願っても、恋の行く末は選べない。7人の作家が「最高の恋」の終わりとその先を描く、極上のアンソロジー。

斎藤由香著

窓際OL トホホな朝ウフフの夜

大歌人・斎藤茂吉の孫娘は、今や堂々の「窓際OL」。しかも仕事は「精力剤」のPR!? お台場某社より送るスーパー爆笑エッセイ。

斎藤由香著

窓際OL 会社はいつもてんやわんや

お台場某社より送る爆裂エッセイ第2弾。会社や仕事について悩んでいる皆さん、ビジネス書より先にこの1冊を(気が楽になります)。

斎藤由香著

窓際OL 親と上司は選べない

怒鳴る、威張る、無理難題を押し付ける……。会社員にとっての最大の災難「ダメ上司」の驚き呆れる実例集。好評エッセイ第3弾。

斎藤由香著

窓際OL
人事考課でガケっぷち

グループ会社に出向決定（ガーン！）。老齢の父は入院。仕事＆家庭、重なる試練をどう乗り切るか窓際OL？　好評エッセイ第4弾。

斎藤由香著

猛女とよばれた淑女
―祖母・齋藤輝子の生き方―

生まれは大病院のお嬢様。夫は歌人・齋藤茂吉。息子は精神科医・齋藤茂太と作家・北杜夫。超セレブな女傑・輝子の天衣無縫な人生。

「銀座百点」編集部編

私の銀座

日本第一号のタウン誌「銀座百点」に、創刊当時より掲載されたエッセイを厳選。著名人60名が綴る、あの日、あの時の銀座。

阿川弘之著

春の城
読売文学賞受賞

第二次大戦下、一人の青年を主人公に、学徒出陣、マリアナ沖大海戦、広島の原爆の惨状などを伝えながら激動期の青春を浮彫りにする。

阿川弘之著

雲の墓標

一特攻学徒兵吉野次郎の日記の形をとり、大空に散った彼ら若人たちの、生への執着と死の恐怖に身もだえる真実の姿を描く問題作。

阿川弘之著

山本五十六
新潮社文学賞受賞（上・下）

戦争に反対しつつも、自ら対米戦争の火蓋を切らねばならなかった連合艦隊司令長官、山本五十六。日本海軍史上最大の提督の人間像。

桐野夏生著
魂萌え！（上・下）
婦人公論文芸賞受賞

夫に先立たれた敏子、五十九歳。「平凡な主婦」が突然、第二の人生を迎える戸惑い。そして新たな体験を通し、魂の昂揚を描く長篇。

桐野夏生著
残虐記
柴田錬三郎賞受賞

自分は二十五年前の少女誘拐監禁事件の被害者だという手記を残し、作家が消えた。折り重なった虚実と強烈な欲望を描き切った傑作。

桐野夏生著
東京島
谷崎潤一郎賞受賞

ここに生きているのは、三十一人の男たち。そして女王の恍惚を味わう、ただひとりの女。孤島を舞台に描かれる、〝キリノ版創世記〟。

桐野夏生著
ナニカアル
島清恋愛文学賞・読売文学賞受賞

「どこにも楽園なんてないんだ」。戦争が愛人との関係を歪めてゆく。林芙美子が熱帯で覗き込んだ恋の闇。桐野夏生の新たな代表作。

小川洋子著
薬指の標本

標本室で働くわたしが、彼にプレゼントされた靴はあまりにもぴったりで……。恋愛の痛みと恍惚を透明感漂う文章で描く珠玉の二篇。

小川洋子著
まぶた

15歳のわたしが男の部屋で感じる奇妙な視線の持ち主は？　現実と悪夢の間を揺れ動く不思議なリアリティで、読者の心をつかむ8編。

高峰秀子著
台所のオーケストラ
「食いしん坊」の名女優・高峰秀子が、知恵と工夫で生み出した美味しい簡単レシピ百二十九品と食と料理を題材にした絶品随筆百六編。

高峰秀子著
にんげん蚤の市
司馬遼太郎、三船敏郎、梅原龍三郎…。人生の名手・高峰秀子がとっときの人たちとの大切な思い出を絶妙の筆で綴る傑作エッセイ集。

斎藤明美著
高峰秀子の捨てられない荷物
高峰秀子を敬愛して「かあちゃん」と慕い、ついには養女となった著者が、本人への綿密な取材をもとに描く、唯一無二の感動的評伝。

斎藤明美著
最後の日本人
高峰秀子、緒形拳、佐藤忠良、王貞治……。一流の〝仕事師〟25人の美しい生き方。失くしてしまった日本人の美徳がここにある！

向田邦子著
寺内貫太郎一家
著者・向田邦子の父親をモデルに、口下手で怒りっぽいくせに涙もろい愛すべき日本の〈お父さん〉とその家族を描く処女長編小説。

向田邦子著
思い出トランプ
日常生活の中で、誰もがもっている狡さや弱さ、うしろめたさを人間を愛しむ眼で巧みに捉えた、直木賞受賞作など連作13編を収録。

残《のこ》るは食《しょく》欲《よく》

新潮文庫　あ-50-5

平成二十五年四月一日発行
平成二十七年五月二十五日十一刷

著者　阿《あ》川《がわ》佐《さ》和《わ》子《こ》

発行者　佐藤隆信
発行所　株式会社　新潮社
郵便番号　一六二—八七一一
東京都新宿区矢来町七一
電話　編集部(〇三)三二六六—五四四〇
読者係(〇三)三二六六—五一一一
http://www.shinchosha.co.jp
価格はカバーに表示してあります。

印刷・二光印刷株式会社　製本・憲専堂製本株式会社

ISBN978-4-10-118455-5 C0195